陳查禮探案全集 5

THE BLACK CAMEL

黑色駱駝

厄爾・畢格斯◎著
劉育林◎譯

臉譜

陳查禮探案全集 5

黑色駱駝

The Black Camel

作　　者	厄爾・畢格斯 Earl Derr Biggers
譯　　者	劉育林
特約編輯	曾淑芳
發 行 人	蘇拾平
出　　版	臉譜出版
發　　行	城邦文化事業股份有限公司 台北市信義路二段 213 號 11 樓 電話：(02)2396-5698 / 傳真：(02)2357-0954 郵政劃撥：1896600-4 城邦文化事業股份有限公司 城邦網址：http://www.cite.com.tw
香港發行	城邦（香港）出版集團 白港北角英皇道310號雲華大廈4 / F，504室 電話：25086231 / 傳真：25789337
新馬發行	城邦（新、馬）出版集團 Cite(M) Sdn. Bhd.(458372 U) 11, Jalan 30D/146, Desa Tasik, Sungai Besi, 57000 Kuala Lumpur, Malaysia 電話：603-9056 3833 / 傳真：603-9056 2833 57000 Kuala Lumpur, Malaysia
初版一刷	2002 年 1 月 10 日

ISBN　957-469-719-3

定價：310 元

目次

【第一章】海路輻輳的早晨

太平洋是個寂寞的大洋，橫渡此一波濤起伏的荒漠水域時，旅客會覺得他們的船迷失在一望無盡的海天之中。然而，如果他們是從南太平洋航行到加州海岸，途中便會突如其來的遇到了落腳處。在這個寧靜的七月清晨，拂曉剛過，「大洋號」的旅客便遇到了同樣的情況。籠罩在霧靄中的褐色山峰在洋面升起，看起來是那麼的不真實，那麼的令人難以置信。然而隨著每一分每一秒的接近，山峰逐漸像是真的了，而後，當看到綠意盎然的歐胡島時，倚在船舷欄杆處的眺望者終於興奮起來，陰暗的谷地正下著雨。

「大洋號」轉了個彎，要從水道入口處進港。鑽石岬像隻巨大的獅子俯伏著作勢要撲過來——用老套的話來形容，說它是隻俯伏的獅子，山岬的樣子倒滿像是那麼回事；

但若說要撲過來……嗯，那是絕無可能的。鑽石岬是夏威夷群島中的成員，很久之前便意識到因一時的衝動而行動是徒勞的——事實上，幹任何事都是徒勞。

一位女性乘客站在船身右舷的甲板上，觀看著威基基蜿蜒有致的海灘，再往內陸一點，阿囉哈塔後面，檀香山市街的白色建築錯落在綠蔭之中。她是個貌美的女人，年齡三十出頭，從大溪地出發的這段航程，炎熱而枯躁，她一直是船上其他旅客持續關注的焦點。無論你蟄居在世界哪一個地方，看到這個女人你一定會認得，因為她是電影紅星席拉·費恩，跟任何一個總統或國王相比，她的知名度毫不遜色。

八年多來電影業者稱她為這一行的「珍寶」，但現在逐漸有人在搖頭了。「她不行啦，在走下坡了。」金童玉女就像清理煙囪的工人一樣，到最後一定落得灰頭土臉，每一位電影明星一想到這個便睡不著。席拉近來輾轉反側，此刻她望著籠罩在雲靄光暈中的丹塔洛斯山，若有所思的眼睛卻含著悲意。

她聽到背後傳來熟悉的腳步聲，轉過身去，只見一位體格魁梧、眼神銳利的男人正低頭笑望著她。

「噢，亞蘭，是你，」她說：「你今早感覺如何?」

「有一點點煩躁，」亞蘭回答道。他也在欄杆旁邊佇立，那張臉被熱帶太陽曬成古銅色，紋理很深，從未接觸過拍電影用的聚光燈和化妝品。「這段旅程要結束了，席拉，至少對妳來說如此。」他伸手握著席拉的手，復又說道：「妳會覺得惋惜嗎？」

席拉遲疑了一下。「相當惋惜。我寧可這樣一路航行下去，什麼都不用煩。」

「我也是。」他興味盎然的望著檀香山，每一個看到新港口、新停泊地點的英國人，臉上自然而然會有這種表情。船已經來到水道的入口處了，一艘載著海關人員和檢疫醫生的小艇正快速的駛向這裡。

「妳沒忘記吧？我這趟旅程的終點並不是這裡。」英國人對席拉．費恩說：「今晚我便要在這裡跟妳分手，同樣搭這艘船，午夜時分離開，因此在走之前……我必須得到妳的答覆。」

席拉點點頭。「在你走之前，我會答覆你的。我保證。」

他端詳了一下席拉的臉。看到陸地時，女星的臉有了明顯的改變，她即將要從船中小世界回到外面廣大的世界了，那裡有著人們對她的崇拜，而那樣的崇拜是她所期待、並且賴以活下去的。她的眼神中燃起了熾烈的火焰，不再是平靜、安詳、缺乏活力，她的腳尖不安分的在甲板上點著拍子。一股突如其來的恐懼席捲了他，這幾個星期以來他所熟知、仰慕的女人即將要離他遠去。

「還要等什麼呢？」他忍不住嚷道：「現在就回答我吧！」

「不，不行，」她不肯道：「現在還不行，等今天稍晚一點吧。」她別過頭去。

「奇怪，那艘小艇上有記者嗎？」

在微風的吹拂中，一位高大英俊的年輕人招著手向她跑來，沒戴帽子的他滿頭金髮，渾身是勁，公然挑戰著這裡的氣候。

「哈囉，費恩小姐，還記得我嗎？上次妳要到南邊去經過這裡時，咱們見過，我是觀光局的吉姆．布萊蕭，美麗天堂的媒體公關兼接待員，帶給妳最棒的阿囉哈——現在就為妳戴上花環以示所言不虛。」他把一圈香味撲鼻的花環往席拉的脖子套下，那位叫亞蘭的男子不聲不響的離開了。

「你真是太好了，」席拉．費恩對他說：「我當然記得你！你似乎很高興見到我，瞧你做的！」

他笑開了。「那當然囉，而且這就是我的工作嘛，在下是夏威夷大門口的踏腳墊，全身都寫滿了『歡迎』二字，笑迎天下客——我必須對自己打的廣告很有把握，讓它們全部兌現才行。不過就妳的情況而言，我——嗯哼，相信我，是不用絞盡腦汁的。」他看到席拉一副另有期盼的樣子。「嘿，我很抱歉，所有的記者現在似乎都還在夢周公哩，不過請不要怪他們，貿易風習習吹在棕櫚葉上，他們怎麼能不薰薰欲睡呢？這稍後再說，妳先告訴我此刻在進行什麼，我看看有哪些要登在報紙上，妳在大溪地拍的那部南太平洋超級強片已經拍完了嗎？」

「還沒咧，」她回答道：「留下一部分要在夏威夷拍。我們住在這裡可要舒服多了，至於外景，你知道，這裡的風景一點都不輸那裡……」

「我哪會不知道！」小伙子嚷道：「儘管問我吧，不一樣的花卉、群英綻放的樹、鬱鬱蔥蔥的青山、艷陽高照的藍天和勢如浪湧的白雲——夢境之中熱帶不變的春天情景。妳覺得怎樣？我昨天才剛這樣寫呢。」

「聽起來棒極了！」席拉笑道。

「妳會在檀香山待上一段時間吧，席拉小姐？」

她點點頭。「我已經叫傭人先來了，」她說：「他們在海灘旁邊幫我找了幢房子，飯店我住得很煩，而且，老是被人家瞧來瞧去、指指點點的。但願是幢大一點的房子。」

「是很大喔，」布萊蕭打岔道：「昨天我還去那裡看過呢，一切準備就緒，就等妳來，我見過妳的管家以及妳的祕書茱莉．歐尼爾。談到這個，改天我要向妳請教，妳是在哪兒找來這樣一位祕書的。」

席拉笑了。「噢，茱莉可不只是位祕書喔，她還有點像是女兒，幾乎是了。當然這樣說很怪，因為我們年紀差不多。」

「是這樣嗎？」小伙子心裡面這麼說。

「茱莉的母親跟我是摯友，四年前死了，因此我收容她的女兒。一個人偶爾也該發點善心，做點善事！」她說道，眼光靜靜落在甲板上面。

「那當然，」布萊蕭同意道：「人要是沒有善心的話，童子軍也募不到款了。茱莉說妳人非常好。」

「我得到的回報可是很充分的喔，」女星告訴他：「茱莉真是個可人兒。」

「可不是嗎？」小伙子衷心的說：「假如有詩韻集成這樣的書在手邊，我現在就能對那個女孩來個最佳描述。」

席拉・費恩忽然注視著他。「但是茱莉兩天前才來到這裡……」

「是啊，我也是。我坐飛機到洛杉磯去了一趟，回來正好跟她搭同一艘船，這趟路從來沒有那麼棒過。妳知道吧，銀色的月光、波光粼粼的海水，又有一位美麗的姑娘。」

「這我得好好問問。」席拉・費恩說。

正說著，船上另外兩名旅客加入了他們：一位是一臉倦意、熟悉人情世故的男士，從服裝看來想必是好萊塢的一分子，另一位是亮麗的女孩，年齡在二十歲左右。席拉欠了欠身。「這位是觀光局的布萊蕭先生，」她介紹道：「這位是黛安娜・狄克森小姐，在我那部電影參與演出；而這位是杭特立・范豪恩，我那部電影的男主角。」

狄克森小姐也不謙辭，立刻展現活力。「檀香山讓人心儀已久，我一直好興奮能夠到這裡來，這裡風景好美。」

「那個不用講了，」女星打岔道：「布萊蕭先生對此再清楚不過。」

「我始終對自己的想法能獲得人家的肯定感到雀躍，」小伙子一鞠躬道：「特別是來自美麗小姐的肯定。」他轉向那位男士，「范豪恩先生，我看過你演的電影。」

范豪恩自嘲的笑了笑。「我想在那部影片中你也看到婆羅洲的原住民了。席拉告訴了你我們最近拍的那部片子嗎？」

「講得很少，」布萊蕭答道：「劇本好嗎？」

「劇本一向是好的，」范豪恩說：「我想這個角色經我演過之後，還不致於讓該劇本成為絕響吧，果真那樣的話，我們好幾個大製片廠就要關門大吉了。你知道，我是個海濱逐客，日子一向過得很頹廢——」

「就是嘛！」女星點點頭說。

「謝謝妳啦，我一直沈溺在深淵底下，那裡舒服得很，」范豪恩接下去說：「而我現在已經獲救了，信不信由妳。完全恢復了活力，你知道，在這位思想純樸、皮膚曬黑的孩子的關愛之下。」

「哪個孩子？」布萊蕭茫然問道。「噢，你是指費恩小姐。嗯，聽起來像小說情節，但是可別告訴我，別告訴我。」他轉向女星：「非常高興妳來到檀香山拍片，我們觀光局的人碰到這種事都高興極了。現在我得走了，船上還有一兩個知名人士，有位叫什麼亞蘭．堅尼斯的，聽說非常有錢。」

「你剛剛來的時候，我正在跟他講話。」席拉說。

「謝謝妳，我這就去找他，說是在南非擁有鑽石礦山，真不得了。妳知道，我們夏威夷在藝術方面滿強的，但說到了錢……嗯，當財神爺在港口出現時，我們真的要拿出旗子好好的歡迎。隨後見了，各位。」

他下了甲板，三個拍電影的人走向欄杆旁邊。

「瓦爾來了，」杭特立．范豪恩說：「看他那副德性，熱帶地方的故事好像全都是他編的。」

男主角指的是席拉最近這齣新片的導演瓦爾．馬提諾，他此刻正快步朝這裡走來。他是個短小精幹的人，灰髮，一身筆挺的白色絲質西裝，鮮紅色的領帶上面有張寬臉。馬提諾先生的臉幾乎跟領帶一樣紅，顯見高血壓或飲食控制的瑣事從未受到他的關注。

「哈囉，」他打個招呼。「咱們這下到了，謝天謝地，大溪地那一關已經過了，我從現在開始要拍攝這個熱帶地方被美國鉛管業蹂躪後的景象。席拉，剛剛跟妳講話的人是個記者吧？」

「不是，他是觀光局的人。」

「希望妳對新片多美言幾句，」他接著說：「妳也知道，我們很需要接觸傳媒。」

「得了吧，拍片的事先擱一邊吧！」女星有些厭倦的說。

大洋號緩緩駛進碼頭，出人意料的是，前來歡迎的群眾竟那麼少。席拉．費恩看著那一群人，感到有些失望。她本來希望會有一大群穿著白上衣，手拿花圈的女學生到場歡迎的。那樣的場面她以前便遇到過，豈能希望歷史重演？而且再怎麼說，現在畢竟是早晨七點啊。

「啊，茱莉在那邊，」她忽然大聲說道：「在那邊，靠近碼頭末端那邊。你看，她在揮手呢。」她也向茱莉揮了揮手。

「她身邊那個人是誰？」范豪恩問：「天吶，好像是塔尼維諾！」

「的確是他。」狄克森小姐說。

「他來這裡幹嘛？」男主角不解道。

「是我要他來的。」席拉．費恩說。

一位黑衣服女傭默默來到她的身邊。「什麼事，安娜？」

「是海關人員，女士，他們要盤查每一件事。妳最好能來一趟，他們似乎想問妳一些事。」

「我去跟他們講好了。」女星沈著的說，隨即跟女傭進去她的套房。

「你們知道這是怎麼回事嗎？」范豪恩說：「她居然把那個裝模作樣的相命仙，千里迢迢從好萊塢找來這裡。」

「裝模作樣？你這話什麼意思？」狄克森小姐打岔道：「塔尼維諾真的很厲害呢，他把我過去以及未來的事講給我聽，連我都嚇一跳。沒問過他以前，我連下一步怎麼走都不知道，席拉也一樣。」

馬提諾很不耐煩的搖起了大腦袋。「妳們這些好萊塢女人對江湖術士迷成那樣，講出去會笑死人。」他嚷道：「妳們拼命把自己的祕密告訴他們，哪一天他們把這些事全寫進回憶錄裡，到時該怎麼辦？我們少數人努力想把這一行提升到受人尊重的地位，但是老天，這又有什麼用？」

「沒有用的啦，老兄，」范豪恩說。他的視線跨過海水，看向碼頭邊那位高高瘦瘦的星相家。「可憐的席拉，她對那玩意兒那麼虔誠。依我看，她是想請教塔尼維諾自己是不是該嫁給亞蘭．堅尼斯。」

「她當然要問這個，」狄克森小姐點點頭，「她想知道跟那個人在一起能否幸福。

堅尼斯向她求婚的第二天，她就打了電報給塔尼維諾。這樣有什麼不對的？婚姻畢竟是一件大事情嘛。」

馬提諾聳了肩膀。「要是她肯問我的話，我馬上就能告訴她未來的運勢。她在影劇圈的發展已經是強弩之末了，這一點她應該明白。她的合約再六個月就要期滿，而且不可能更新——這我是無意中曉得的，要嚴加保密，知道吧。我可以預見，她將展開一段長距離的海上之旅，之後，她會上岸去拍一部片子，那將是結束的開始。至於現在這個鑽石王子，她應該趁人家改變主意之前俘虜過來。但是很抱歉，她偏偏跟一個在幕後玩水晶球的人窮攪和。不過話又說回來，你們這種人就是這樣，從來不會長大。」說完他走開了去。

港邊的例行手續很快便結束了，大洋號隨即靠岸，席拉·費恩第一個走下扶梯，受到祕書熱烈的擁抱。茱莉是個年輕、熱情而又單純的女孩子，歡樂毫無保留的流露出來。

「房子已經布置好了，席拉，簡直漂亮極了，耶索人在那裡，我們還找來一個非常棒的中國廚子。走吧，汽車在等著呢。」

「真的嗎，親愛的？」

女星看向茱莉身旁的男士，與其烏黑深陷的眼眸相對。「塔尼維諾，看到你人在這裡，我就放心了。我知道我信得過你。」

「這妳不用擔心。」命相家一本正經的說。

碼頭上人雖不多，嘈雜聲及各種混亂的情形卻一樣不缺。女傭安娜手上全是大包小包的行李，塔尼維諾見狀趨前去幫她的忙。他老兄絲毫沒有降尊紆貴的樣子，以對女星同樣的殷勤有禮對待安娜。

亞蘭・堅尼斯和布萊蕭也下來了。布萊蕭熱情迎向茱莉，一副遠從外地剛剛抵達這裡的樣子。堅尼斯立即走到席拉身邊。

「我可能心急到可憎的地步了，」他說：「今天下午我可以去看你嗎？」

「當然可以，」伊人首肯道：「噢，這位是茱莉，我跟你提到過的。茱莉，妳告訴他地址好嗎？我們住在卡拉卡華大道，就在格蘭飯店過去不遠。」

茱莉把地址告訴他，他又轉向席拉。「我不能讓妳……」他才剛開口。

「稍等一下，」女星說：「我介紹一位好萊塢的老朋友跟你認識。塔尼維諾，來一下好嗎？」

命相家把一干行李交給了席拉的司機，立即走了過來。堅尼斯看到他時感到有些驚訝。

「塔尼維諾，我跟你介紹一下，這是亞蘭・堅尼斯，」女星介紹道。

兩人互相握了手。「真是幸會！」那位英國人說。他注視對方的眼神時，突然湧起一股深深的厭惡感：此人有一股力量，但並非膂力，膂力他自己就有，也能夠感受得到，但那股力量更加細微，有點神祕，無從解釋，卻又怪異得令人不安。「很抱歉，我現在得告退了。」他復又說道。

堅尼斯隨即消失在人群之中，茱莉帶領一干人到達等候已久的汽車旁邊。塔尼維諾投宿在格蘭飯店，席拉囑咐順路載他過去。

在藍亮的晴空之下，他們的車輕捷的奔行在檀香山的街道上。又是閒適的一天，市區漸漸甦醒過來，各個種族的人們懶懶的起床迎接這一天，國王街一角有位男孩正在送報紙，一名膚色棕黑的胖警察懶洋洋的變換紅綠燈標誌，讓他們穿過十字路。席拉・費恩像所有剛從船上下來的旅客一樣，對周遭的亮麗多彩感到驚訝不已。

「啊，我可要好好的享受一下，」她嚷道：「以前從來沒在這裡停留過一天以上，離開南太平洋真讓人鬆了一口氣。」

「南太平洋不是很浪漫嗎？」茱莉問道。

女星聳了聳肩道：「妳們年輕人的幻想，我不想潑冷水。但是往後可別再提起大溪地這三個字。」

「那裡並沒書上敘述的那麼好，我很久以前也發現了這點。」塔尼維諾點點頭。他坐在席拉身邊，即使是大白天也一樣神祕兮兮的。「妳會在這裡待上一段時間吧，我想？」

「我預計一個月，」女星回答道：「前面一兩個禮拜還得拍片，之後呢，我想會休息個兩個禮拜吧。塔尼維諾，我實在太累、太累了。」

「我有眼睛會看呢，妳無需告訴我。」他說。

他是有雙眼睛，一雙冷冷的眼睛，精明銳利而又帶著幾分憂鬱。汽車飛馳經過以前的王官、司法大廈，最後拐到卡拉卡華大道。

「非常感謝你能夠來。」席拉對他說。

「這沒什麼，」他平靜的答道：「收到妳那封電報的當天我便動身了。我也該休個假了，妳也知道，當工作找上門時是滿累人的，再加上妳說妳需要我，這對我便已經夠了。無論何時，那樣的理由對我來說都夠了。」

茱莉講起了這幾個島：威基基海灘溫暖宜人的波浪，夜暗中醉人心魂的原住民音樂，大街小巷裡的露天戲劇。

「妳講的這些，」席拉笑道：「我聽起來都好像是吉姆．布萊蕭在大發其浪漫情懷時說過的。」

茱莉大笑起來。「是啊，我想我是在引述吉姆的話。妳見過他了嗎，席拉？」

「見過了。」女星點點頭。

「他真的很棒，」茱莉對她說：「尤其他沒替商店打廣告的時候。」

正說著，格蘭飯店粉紅色的圍牆在路旁細密的棕櫚葉中露了出來，席拉指示司機從飯店大門拐進去。

「我必須盡速與你一談，」她對塔尼維諾說：「你知道嗎，好多事情我必須要問問你——」

他舉起一隻蒼白、細瘦的手來。「請別告訴我，」他笑道：「由我來告訴妳吧。」

她有些訝異的望著他。「噢，那當然。塔尼維諾，我需要你的建議。你一定要再幫這個忙，就像你過去經常幫助我的那樣。」

他認真的點頭。「我試試看。會有啥樣的幸運眷顧，誰曉得呢？十一點到我住的地方來吧，第十九號房，飯店的一樓。妳進到飯店，由櫃台左邊的台階上去走廊，我的房間就在裡面，我會在房間裡等妳。」

「好的，好的，」她的聲音顫抖著，「我今天一定得把這件事情弄妥。我會去找你的。」

塔尼維諾在飯店階梯處躬身行禮。車開走後，席拉發現茱莉那雙坦率的眼睛很不以為然的注視著自己，甚至還有些不屑的味道。

服務生領班碰了一下塔尼維諾的袖子。「對不起，有一位先生等著見你呢。就是那位。」

相命家回頭看到一位肥胖的中國人向他走來，腳步出乎意料的輕。那人臉白白的，略有一點愚蠢的表情，黑眼睛一副睡意惺忪的樣子。是個不怎麼精明的中國人，塔尼維諾忖道，不禁懷疑起這位仁兄為何來訪。

中國人伸一隻手放在自己胸口，大腹便便的，竟也施了個大禮。

「非常失禮，」他說：「請問閣下是塔尼維諾先生嗎？」

「我就是塔尼維諾，」另一方率直的說：「不知有何貴幹？」

「雖然不足掛齒，還是容我自我介紹一下好了，」中國人繼續說：「本人名叫溫哈利，是這個島上的小生意人。我想跟您私下一談，這樣不會太冒昧吧？」

塔尼維諾聳了聳肩。「談什麼呢？」

「情況緊急。不知道能否去您的房間……」

命相家注視著對方半晌，見那張平靜的臉孔底下了無生氣。他廢然道：「來吧。」

他向櫃台拿了鑰匙，帶路前行。

一進到十九號房，塔尼維諾立刻轉身面對這位不速之客，此君走起路來一點聲音也沒有。小會客室的窗簾完全拉開，滿室亮光。塔尼維諾每次外宿時，習慣選擇面對著山的房間，庫拉山脈的風不斷從窗子吹拂進來，連書桌上的紙張也輕輕掀動。

在命相家凌厲的眼光逼視下，中國人依然是面無表情。

「怎麼樣？」塔尼維諾說道。

「閣下是大名鼎鼎的塔尼維諾，在好萊塢影劇圈素以能夠預測未來著稱，」溫哈利畢恭畢敬的說：「未來在常人眼中如漆桶般不明朗，但對於你，他們說，就像玻璃一樣透明。請容我這麼說，如此的盛名，您即使到了夏威夷，它也猶如獵犬般追隨著，像影子那樣寸步不離。有關您這種特異功能的各項謠言，正氾濫在大街小巷。」

「哦？」塔尼維諾扼要的說：「那又怎麼樣？」

「如剛才所說的，我只是個小生意人，除了自己以外，我對於任何人都不重要。現在坦白講好了，我做的生意出現了機會，能夠和我堂弟在北方省份的事業合併，前途一片光明，但我卻感到十分不安。這項合併能成功嗎？我那位堂弟真的就像宗親那麼可靠嗎？我能信賴他嗎？簡單說來，我希望能把罩在未來的黑紗揭下來，而你正是這一行的專家。我願意支付高額的報酬請你幫這個忙。」

塔尼維諾眼睛半瞇起來，凝視著這位不請自來的顧客許久許久。中國人把西裝外套略到背後，雙手插進長褲口袋，動也不動，像尊佛像似的等待著。命相家的視線落在他西裝背心放鋼筆的口袋處。

「沒有辦法，」他突然下定決心的說：「我來這裡是為了度假，不是來執業的。」

「但人家說，」對方反駁道，「你已準備好用水晶球——」

「我的確為飯店一兩位經理算過命，那是因為客套，而且也不收費，」塔尼維諾打岔說：「但是我並不打算向社會大眾開放。」

溫哈利聳了聳肩。「如此一來，我只好失望而歸了。」他答道。

命相家黝黑的臉上露出了苦笑。「請坐吧，」他說：「我曾經在中國待上一段時間，很了解中國人對算命的重視，因此當你告訴我你為何來此時，一時之間我還以為你講的是真話。」

訪客皺起眉來。「我忽然沒辦法了解你了。」

塔尼維諾落座和這位東方人相對，臉上依然掛著笑容。「噢，是，呃……溫先生，我本來相信你說的話，一時之間被你騙了。不過隨後本人一項小小的天賦幫上了忙。你剛剛非常客氣，一直誇讚我的事業很成功。嗯，就算成功吧，原因何在呢?溫先生，因為我個人的心靈感應碰巧很靈。」

「中國人也很講究心靈感應。」

「請等一等。我剛剛站著聽你講話的時候，內心裡頭忽然起了一陣感應。我有個感覺，感覺什麼呢？我感覺到有好些健壯的男子坐在警察局裡，宣誓要效忠法律；感覺到警局的刑事組幹員正在追捕歹徒，將歹徒撂倒，然後呢……一個法庭，法庭裡有個所謂的法官。那就是我剛剛的感覺，閣下。這很令人驚訝，你不認為嗎？」

訪客臉上的愚痴相忽然一掃而空，小小的黑眼睛射出了稱許之意。

「閣下的反應如此敏銳，確實令人驚訝，但依我所見，這並不是什麼心靈感應。剛才我注意你的眼神落在我西裝背心上，立刻恍然大悟，因為我的警徽才剛取下，別針的痕跡很明顯留在上面。你真是一流的偵探，令人激賞。」

塔尼維諾仰臉笑了起來。「中了！」他大叫道：「原來你真的是位警探，不知大名是……」

「敝姓陳，」胖胖的中國人開朗笑道：「現在是檀香山警察局的督察，之前還是警官，但是本地警界來了個人事大異動，我的能力有限，卻得到破格提拔。平心而論，搞這種把戲可不是我的主意，因為畢竟會被拆穿，我也向組長報告說這樣做行不通，除非閣下剛好異常遲鈍。既然閣下如此超乎尋常的機伶，這個小把戲當然不能得逞了。請莫見怪，我來只是想提醒你，本地有個特別的法規，閣下這個行業的人士若未經許可，不得從事業務上的行為。我要講的就是這些，告辭了。」

塔尼維諾也站了起來。「我不會在本地為人看相的，請放心好了。」他說道。他把高深莫測的樣子擺在一邊，整個人看來滿隨和的，一點都不做作，原先的高深莫測是為了那些電影明星而設計的。「真是幸會，陳先生。剛剛說到敝人所謂偵探方面的能力，我或許可以自信的說，這在我的工作上面挺管用的。」

「必然是如此，」陳查禮答道。「你既然擁有這樣的才能，就應該出來為社會大眾服務才是。洛杉磯發生的謀殺案經常上報，但是都沒看到偵破，我對每一樁命案都興趣濃厚的加以研究，譬如說泰勒那件案子，多轟動啊，可是唉，到現在仍然是一宗懸案。還有影壇出名的帥哥丹尼·馬佑那件案子，深更半夜死在自己家裡，這案子有幾年了？三年多了，但是洛杉磯警方仍未將兇手找出來，替他報仇。」

「他們以後也不可能了，」命相家附議道。「但是謝了，陳先生，那並不是我個人的行業。我發現把重心放在未來，用溫柔的方式撫觸好萊塢的過去，這樣比較安全。」

「若是那樣的話，智慧方能長久，」陳查禮點頭道。「不過話說回來，若是碰到重大難題，我依然非常歡迎你來協助。再見了，塔尼維諾先生，你的機智表現我會一直謹記在心的。」

他動作輕巧的出去了，塔尼維諾看了一下手錶，態度悠閒的把一張小桌移到會客室中央，又從櫥櫃抽屜拿出一個光亮的水晶球，擺在桌上。然後他走到窗戶旁邊，拉上一半窗簾，將絕大部分明亮的光線擋在室外。房間變暗了，他環顧了一下，聳了聳肩，氣氛上跟洛杉磯他那間命相館沒得比，但還是管用。他在窗戶旁邊坐下，拿出口袋那包厚厚的信，撕開封皮，讀了起來。貿易風吹拂進來，窗簾在他頭上飛舞著。

十一點整，席拉．費恩敲響了房門，塔尼維諾引她進到會客室來。席拉穿了一身白，樣子比碼頭看到時顯得年輕，但眼睛卻籠罩在憂愁之中。塔尼維諾的神情變得很職業化，此刻的他，冷靜、疏遠、不動感情。他讓席拉坐在水晶球後面，再去將窗簾整個拉上，室內幾乎完全暗了下來。

席拉開口道：「塔尼維諾，你務必告訴我該怎麼辦。」塔尼維諾在對面坐下。

「等一下，」他吩咐道，眼睛注視著水晶球。「我看到了，妳在一艘郵輪甲板的欄杆旁邊站著，月光十分明亮。妳身上穿了件晚禮服，金色的，跟妳的頭髮很配，肩膀還披上相同顏色的披肩。在妳身邊站著一個男人，手指著某個地方，還拿了一副眼鏡給妳，妳將眼鏡貼近眼睛，妳看到了，帕皮提港僅餘最後一點淡淡的亮光，你們搭的船一兩個鐘頭前才剛從那裡啟航。」

「是的，是的，」席拉．費恩喃喃的說：「噢，塔尼維諾，你怎麼會知道？」

「那個男人轉過身來了，長相看不太清楚，但我認得他，今天，在碼頭那邊——亞蘭．堅尼斯，那是他的名字吧？他向妳提出了一個難題，是求婚吧，我想，但是妳搖搖頭，有點迫不得已似的。妳想要答應，但卻沒有，妳想拖久一點再答覆。為什麼呢？我感覺到妳愛這個男人。」

「我是愛他，」女星低聲吶喊道。「噢，塔尼維諾，我真的愛他。我是在帕皮提認識他的，認識他只有一個禮拜，但是像在那樣一個地方，我們第一天晚上出去，情形正像你剛剛說的，他向我求婚。我到現在還沒有答覆他。我想要答應他，想要現在就擁有一點小小的幸福，我想我有這樣的資格。但是，但是我怕……」

他那穿透人心的利眼離開了水晶球，「妳在害怕，過去發生的某件事，妳怕那件事會回過頭來困擾妳。」

「不要！不要！」女人驚叫起來。

「那是件很久之前發生的事。」

「不，不，那不是真的。」

「妳騙不了我。那是多久以前呢？這我無法斷定，但妳必須讓我知道。」

貿易風吹動著窗簾，席拉．費恩無助的四顧著幽暗的房間，眼神最後又回到塔尼維諾身上。

「那是多久之前的事呢？」塔尼維諾再度問道。

女人歎了一口氣。「到上個月為止，一共三年。」她的聲音很低很低，對方幾乎聽不到。

塔尼維諾靜默了半晌，內心像引擎般飛快的輪轉著。六月……三年之前。他眼睛定定的注視著桌上的水晶球，嘴唇動了起來。「丹尼．馬佑，」他低聲說道：「是有關丹尼．馬佑的事。啊，是了，我現在能看見了。」

強風將窗簾吹開來，一道強烈的光線射向席拉．費恩臉上，她感到一陣暈眩，心中戰慄起來。

「我不應該來的。」她呻吟道。

「丹尼・馬佑遇上了什麼事？」塔尼維諾冷酷追問道：「妳要我來告訴妳，還是由妳來告訴我？」

她手指著窗戶。「陽台。外面有個陽台。」

像是哄小孩似的，塔尼維諾站起來，到窗邊看了一下外面，之後回到桌前。「不錯，外面是有個陽台，但是沒有人在那裡。」

他坐回椅子上，那雙逼人的眼睛肆無忌憚的搜尋著女人的表情，女人處處受制，徬徨而無助。

「快說吧！」塔尼維諾大師喝道。

【第二章】海邊華宅

經過短暫的薄暮之後，夜暗迅速的在威基基海灘鋪展開來。在月亮如火炬般升起之前，天空先染成紫色一片，聽覺變成感官的主角。棕櫚樹陷入漆黑之中，不過在貿易風吹拂之下，還是可以聽到悉悉窣窣的聲音；白色的浪濤也隱沒不見，但似乎還有額外的精力，繼續拍擊著視線之外的海岸。夜晚一如字面上的感覺，讓人好奇、敬畏，然而這一切都太過短暫，因為月亮已準備好要早早登場了。

席拉．費恩在這個海灘租住的房子，偌大的客廳只點著一盞落地檯燈，鑲板的牆壁、家具和地板，全都以本地出產的珍稀木材訂製而成，在微弱的燈光下隱隱散發著光澤。客廳四處都可見到綠意盎然的奇花異卉。靠馬路的落地窗全都關上了，向著大海的一面則全部打開，出去便是寬敞有巨大屏幕遮蔽的涼台，海面上巨浪排天，海潮聲間歇的穿越屏幕奔逐而來。

席拉．費恩進到客廳裡來，她的腳步迅速，有點不安，眼神含帶憂愁，幾乎是驚懼。在格蘭飯店和塔尼維諾晤談過後，她的表情便一直這樣。天吶，她到底做了什麼啊？這問題她一而再、再而三的問著自己。她到底做了什麼啊？那件事情，她原以為已經很安全的埋藏在內心深處，不會重見天日了，而這個謎樣的男人卻輕而易舉的把它挖了出來，他為何有如此神祕的力量呢？一離開他那怪異的影響範圍，她便被自己輕率的行為嚇壞了。然而這一切都太遲了，除了後悔徒呼奈何。

基於對聚光燈需索的精確本能，她在那盞孤燈旁邊坐下。自從多年前她像枝火箭般在電影世界的天空竄起以來，好萊塢不知有多少照相機聚焦在她身上，而現在聚光燈已不再對她那麼禮遇了。不錯，對她那有如烈火般的秀髮是還禮遇，但是對她眼睛旁邊令人擔心的細紋，對她那抿得緊緊的雙唇，可就不那麼體貼了。她知道嗎？在天空中她比大多數的火箭燃燒得更熾烈更久，可現在她必須忍受在夜暗中孤獨而快速的墜落了。

管家耶索捧著一個盒花進來，席拉抬起頭來看他，他是個年老瘦弱的英國人，也是在好萊塢那塊樂土被她發現的。

「噢，耶索，」她說：「茱莉告訴過你了嗎，晚餐要在八點三十分開始？」

「我知道，席拉小姐。」他認真的回答。

「開飯前他們幾個年輕人要去游泳，布萊蕭是其中之一，你帶他到那間藍色的臥房換衣服。澡堂那裡太暗，還需要清理。茱莉和黛安娜會在她們自己的房間換。」

耶索點點頭，茱莉這時進來了，身上穿著長罩衫，臉上脂粉未施。看到她這麼年輕快樂且活力充沛，女星眼睛掠過一絲妒意。

「別擔心啦，席拉，」茱莉說：「我跟耶索全安排好了，將會跟妳所有的派對一樣——非常成功。耶索你拿的那是什麼，花嗎？」

「是費恩小姐的。」管家解釋道，隨即把那一盒花交給女孩，離開了客廳。

席拉．費恩朝四周看了一下，皺起眉來。「茱莉呀，我一直在煩惱，像在這樣的地方開派對，我應該怎樣來一個完美的出場亮相呢？假如這兒有個陽台，或是寬大的樓梯就好了。」

茱莉笑了起來。「妳可以從涼台那裡忽然走進來，手上彈著優客李林，或是唱首夏威夷民謠之類的。」

女星認真看著她。「這樣不好，親愛的。這樣我進場的高度會跟其他客人一樣，讓人印象不深。一個人若要給別人特殊的印象，一定要從上方突然出現。妳要記住這一點，親愛的。現在，在好萊塢……」

女孩聳了聳肩。「噢，妳就用一次最自然的方式出場嘛，席拉。妳知道，來點新鮮的花樣也不錯喔。」她拆掉盒子上的包裝繩，掀開蓋子。「哇，好漂亮！」她嚷道：「是蘭花哩，席拉！」

女星不感興趣的轉過身去，蘭花對她來說不算什麼。「亞蘭他太客氣了！」她索然無味的說。

茱莉卻搖起頭來。「妳猜錯了，」她說：「這顯然不是堅尼斯先生送的。」她把卡片上寫的字唸出來：「『致上真誠的愛。一個妳已遺忘的人。』咦，這會是誰呀，席拉？」

「這又不會是誰呀？」女星略帶苦味的笑道，突然她好奇的站了起來。「我懷疑是……卡片我看一下。」她瞥了一下卡片。「『致上真誠的愛。一個妳已遺忘的……』」她眼睛忽的一亮，登時明白了。「啊，這是鮑伯的字。這個老鮑伯！想想哦，致上真誠的愛，在那麼多年之後。」

「鮑伯？」女孩問道。

席拉點點頭。「鮑伯・懷菲，他是我第一任丈夫，也是唯一的一任。妳不曉得他的，那是好久以前。我當時在紐約表演一齣音樂劇，鮑伯是個傳統劇的演員，演得非常好。我那時好崇拜他，可是之後到好萊塢，兩人便離婚了。而現在……致上真誠的愛，這是真的嗎？」

「他在檀香山幹什麼？」茱莉問。

「隨團表演，在哪家戲院擔任男主角。今早我跟麗泰・巴洛講電話時，鮑伯的情況她全告訴了我。」她拿起蘭花。「今晚我要戴上這些花，我根本不敢奢望他肯跟我講話，真是太……太讓我感動了，我想跟他再見個面。」她露出想望的神情。「我真想立刻見他，他總是那麼好，那麼有腦筋。現在幾點了呢？」她看了一下手錶：「七點二十分，那家戲院叫做什麼來的？麗泰告訴過我……叫皇家戲院，她好像這麼說。」

門鈴與沖沖的響了起來，聒噪的說話聲隨即從玄關傳來，吉姆・布萊蕭嘩的穿過簾幔進來，狀似心情愉快。

「哇，重要的成員統統都到齊了！」他大聲說道：「嗨，費恩小姐，大老遠的跑來南太平洋，海灘上到處都是棕櫚樹，任妳自由自在的徜徉，這感覺怎麼樣？」

「真的是好清閒，」席拉笑道。她向茱莉一頷首，「我去找根別針把這些花別上，馬上回來。」

她消失在前廳，布萊蕭立刻轉向茱莉。

「妳看起來好棒，」他驚呼道：「是氣候的緣故吧。噢，我這可不是說，妳本來看起來不那麼棒——」

「我問你，」她打岔道：「你對席拉有什麼感覺？」

「席拉？」他頓了一下。「噢，她很好啊。長得漂亮，又很隨和，不過……是有那麼一點刻意，她是個好演員，一向如此。過去這兩年我見過的電影明星可多了，他們想要在好萊塢崛起，而我每次都說——你們沒問題的。」

「你其實並不了解席拉。」茱莉不以為然道。

「唔，我想我是不了解。她對妳非常好，因此妳對她的了解比我多。不過我雖天生喜歡女人，還是非常小心的尋找。」

「哦，你真的如此嗎？」

「我理想的對象相當與眾不同，她當然要年輕好看、天真無邪，而且得非常的愛我，這就是我想要的女孩子。我很高興妳問了，這些話妳可隨便引述。」

黛安娜忽然穿過簾幔進來，她也跟茱莉一樣，還穿著罩衫。

「哈囉，大少爺，你已經準備好要跟我去游泳了嗎？」

「是啊，」布萊蕭回答道：「跟妳，還有其他想去的。」他看著茱莉。「咱們走吧，我建議趁月出之前好好的玩，那是最佳時刻。另外有誰要一起去嗎？還是就只有我們三個？」

茱莉搖搖頭。「我想沒別人了。別人會擔心破壞臉上的妝。」

「那就是我們年輕人比較佔優勢的地方了。」小伙子答道。「好了，咱們走吧。」

席拉出現了，蘭花已經別在她的肩上。

「我們正要去世界知名的威基基海灘游泳，」吉姆告訴她說：「妳要不要一起來？」

「改天吧，」她說：「你知道，我今天晚上是女主人。」

「那妳要錯過一生中最暢快的時刻了，」布萊蕭表情嚴重的說：「當輕柔軟款的浪花打在細沙上，夜色漆黑，繁星滿天，說不定還有蠟筆般的可愛月暈呢。每個禮拜洛杉磯和舊金山都有船開來這裡，所有人都出得起旅費。」

門鈴又響了，三位年輕人陪席拉走到門廳。

「去拿你的游泳褲吧，」茱莉對吉姆說：「我會告訴你到哪裡換衣服。咱們來比賽，頭一個跳進海裡的有獎喔！」

「我贏定了。」布萊蕭說。三人響聲咚咚的衝上了樓梯。

鈴聲再度響起。席拉原已到了門邊，卻沒去開門，她想到這一舉動有失電影紅星的身分。因此她折回客廳，靜候耶索去履行職責。不久耶索前去開了門，兩名訪客被迎進客廳。席拉上前迎接那一男一女——女的三十多歲，膚色略黑，徐娘半老，後頭跟隨著的金髮男士體型碩大，頗有一種漫不在乎的架勢。

「麗泰．巴洛！」女星驚叫道：「啊——我們有多少年沒見了！還有威奇你也來了，我好高興！」

「哈囉，親愛的。」叫做麗泰的女人說道。

那位男士走上前去。「喂，席拉，你們今晚幾點開飯？」

「八點半，不過要提早也沒關係——」

巴洛轉向他太太。「老天，妳時間就不能安排得準一點嗎？」

「有什麼關係？」女人回答道：「在別人來到之前，我們可以先跟席拉聊聊呀。」

她轉向女星，「很抱歉妳上次過境時，我們沒能見面，當時我跟我先生人在美國本土。」

「謝天謝地，我們這次可沒錯過，」威奇．巴洛說：「老天爺，妳還是那麼漂亮！」

「妳是如何駐顏有術的呢？」麗泰甜甜的問，她看著席拉時，冷冷的眼睛閃現著絲妒意。

「她想必發現回春泉了！」威奇讚美說。

「我聽說回春泉是在夏威夷哩！」女星笑著仔細端詳著麗泰。「不過好像不是！」

麗泰當然明白其中的意思。「才不咧，」她表情僵硬的說：「回春泉是在好萊塢的美容院裡，這妳也知道。在這裡的話，女人很快就老掉。」

她的眼神如此說。

「沒那回事！」席拉反駁說。

「真的是嘛，唉，我已經學到了教訓，但卻太晚了。我應該繼續待在好萊塢演電影的。」

「但是，親愛的，妳和威奇生活得很幸福吧？」

「那當然啦，就跟患牙痛一樣。」

威奇聳了聳肩。「這個就別說了，席拉，」他說：「來妳家的路上我們沿路吵呢。麗泰的性子妳是知道的。」

「哦，是那樣嗎？」他太太說：「我看任何人嫁到你這種老公都會發神經病。說老實話，席拉，他的想像力可比那個叫什麼名字的……莎士比亞……還要好呢，要是他肯放棄種甘蔗回去寫劇本的話……算了，我們的事擺一邊。快告訴我好萊塢的事吧，我好想再回去看看。」

「我會在這裡待上好一陣子，要聊時間多得很，」席拉解釋道。「晚飯之前有幾個人跑去游泳了，你們也想去海灘走走嗎？」

麗泰伸手護住她花了不少工夫燙好的頭髮，把肩膀聳了聳。「那可不行。」她驚呼道：「我最討厭游泳了，每次看到游泳池就想要吐。妳絕對想不到，親愛的，嫁來檀香山三年，住在這裡的人都跟魚一樣，妳若是把他們帶上岸來，他們就會窒息而死。」

他們聽到又有客人進到玄關，未幾亞蘭．堅尼斯來到客廳，他穿了一身晚禮服，顯得格外英挺。席拉一見到他，心情猛往下沈。正當她介紹亞蘭給巴洛夫婦認識時，茱莉和布萊蕭跑了進來，泳裝上面都加了件鮮艷的海灘浴袍。他們停下來，情非得已的和來客相互認識一番。

「狄克森小姐人呢？」布萊蕭問道：「她還沒出去吧？」

「別胡扯，」茱莉嚷道：「黛安娜最會拖了，每次都這樣。」

「這麼說，就咱們兩個來比賽。」布萊蕭說道，他立刻從敞開的落地窗出去涼台，茱莉急忙跟了過去。

「好英俊的男孩，」麗泰說：「他是誰呀？」

席拉把布萊蕭的工作解釋了一遍，麗泰站了起來。

「我們去海灘那邊吧。」她說。

「到海邊？穿高跟鞋去？」威奇反對道。

「鞋子可以脫下來，不是嗎？」麗泰反問道。她朝落地窗走過去。

「儘管去吧，」女星說：「我們隨後到。」

麗泰走出去了。

威奇毫不帶勁的撐起龐大的身軀。「那表示我也得去了！」他解釋道，跟著走了出去。

席拉轉身面對亞蘭．堅尼斯，笑得有點不太自然。「威奇好可憐，他就是那麼愛吃醋。而且他吃醋恐怕是有理由的，至少以前是如此。」

堅尼斯立刻到她身邊。「很抱歉我下午不能來看妳，妳的頭痛情況好一點了嗎？」

她點點頭。「好多了。」

「我帶了一份小小的禮物要送妳，當然，它是配不上妳的。」他拿給女星一個用薄紙包住的緞帶花。

席拉將包裝紙拆掉。「好漂亮！」她說。

「但卻太遲了，」堅尼斯說：「我看到妳戴上了別人送的蘭花。」

席拉把禮物放在桌上。「這的確是人家送的，亞蘭。」

「希望那並非意味著……」他皺起眉頭說：「席拉，妳的意思該不會是……我……沒有妳我活不下去。」

席拉面對著他。「你會活下去的，亞蘭。我很抱歉，我……我不能嫁你。」

他的臉色一沈。「這麼說來，那件事是真的了！」他說。

「你說什麼？」

「范豪恩下午告訴我的那件事，我本來不相信妳會那麼幼稚、那麼無知。妳竟然叫那個該死的江湖郎中到這裡來，由他來替妳決定，而他卻勸妳拒絕我。」席拉別過頭去，一句話也沒說，亞蘭氣得滿臉通紅。「如果妳有比較合理的理由，」他盡力控制自己，繼續說道：「那我會不吭一聲的吞下這個苦果。可是這樣的方式實在太過分了！居然讓一個江湖郎中、一個算命騙子在我們之間作梗！天啊，叫我怎麼忍得住這口氣！在船上的時候，我還以為妳愛我。」

「我是愛你。」她難過的說。

「既然如此，那就沒有什麼能阻止我……」

「等一下，亞蘭，我求你等一下，」她哭叫道：「那全都是為了你，我是為了你才這麼做的，你一定要相信我。我們在一起不會幸福。」

「原來他就是告訴妳這些，是嗎？」

「他是告訴我這些沒錯，但他只是把我心裡頭想的說出來而已。過去的事，亞蘭，過去發生的事尚未了結。」

「我早告訴過妳了，我不在乎過去發生了什麼。」

「噢，你不會了解的，亞蘭，我無法向你解釋。我試著正確的處理這件事，你人那麼好，又那麼正直，如果到頭來你被拖下水，我會良心不安的。求求你，亞蘭，我求求你——」

「我不想了解什麼，」亞蘭吶喊道：「我要的是妳，我只想愛妳、關心妳！妳看著我，我剩下的時間很短，短得可憐，午夜我就要離開這裡了，妳也曉得。把那個愚蠢的江湖郎中丟一邊吧，我不能理解妳為何要相信他，這我無法贊同，但是我願意假裝沒看到。這也不能苛責於妳，這是妳的性情，妳的生活方式。把他忘掉吧，親愛的，在我走之前答應我。」

席拉搖搖頭。「我不能，」她喃喃的說：「我不能。」

堅尼斯看著她好長一段時間，最後帶著尊嚴轉頭要走。

「你要去哪裡？」席拉叫道。

「不知道，」他說：「我必須把事情想清楚。」

「但是你不是要在這裡吃晚飯……」

「我不知道，」他重複說道。「現在這時候我沒有心情跟妳的朋友交談，我想要一個人獨處一下，也許稍後再回來。」他有些茫茫然，一副魂不守舍的樣子。

席拉走到他身邊，伸手牽著他的袖子。「亞蘭，我真的非常抱歉，非常的難過。」

他轉過身，擁她入懷。「天啊，在船上時妳是愛我的，我不能放棄妳，我辦不到。」他的視線落在那束蘭花上，蘭花用一枚鑽石小別針別在洋裝肩帶上。「要我失去妳，任何人都休想！」他高聲說道，把她放開，快步走了出去。

席拉．費恩緩緩走到一張椅子，頹然坐下，臉上寫著痛苦和沮喪的表情，這回可不是在演戲了。她坐了好一陣子，意識逐漸回到周遭之中，看了一下手錶，八點一刻。她趕緊站起來，走向後面的落地窗。

月亮還在躲藏著，從房子延伸到沙灘的寬闊草坪上漆黑一片。她傾聽著，在遠處，茱莉在大浪中興奮得大聲喊叫，吉姆．布萊蕭戲鬧的聲音接著傳過來。席拉出去外面涼台時，心中忽然有一種古怪的期待感，穿過涼台到紗門邊，門外即是草坪，她佇立看著外面。鄰近一株黃槿底下也是一片漆黑，但似乎有條顏色更加晦暗的人影。忽然人影移動了，她認出是誰，低呼了一聲，隨即把門推開，快速跑過草坪。

與此同時的卡拉卡華大道上，亞蘭．堅尼斯臉色鐵青的往格蘭飯店走去。五分鐘後，他登上這家著名飯店高人一等的大門口，從服務生領班身邊走過，領班一看到這位英國人的眼神，迎人的笑容登時僵住了。

堅尼斯轉向左邊，從展示著玉飾和絲織品的櫥窗旁邊走過，再過去的鮮花舖，傍晚稍早他在這裡買的花，此刻已冷落在席拉．費恩的桌上。隨後他來到飯店寬敞的交誼廳，在台階上停住了腳步。

交誼廳布置得美輪美奐，入口對面矗立著三座高大的拱門，活像是赤道天空的三聯畫。但是堅尼斯今晚可沒有心情欣賞藝術創作，投宿的客人多半在吃晚餐，交誼廳顯得空蕩蕩的。不遠處坐著一對老夫婦，觀光客模樣，正在興致勃勃的交談著。這名英國人看到他所要找的人了。

他下了台階，走到那人座位前面。「你給我站起來！」他粗聲粗氣命令道。

塔尼維諾大師紋風不動的看著他。「我應該受到比較禮貌的對待才是，」他語氣平淡的說：「但不過……我似乎不認得你。」

「你站起來，」堅尼斯又說了一遍。「跟我走。我有話問你。」

命相家端坐了片刻，靜靜打量著眼前站立的這個人，之後才站起來，向身邊的老夫婦道個歉，隨堅尼斯順著大廳走去。

「這是怎麼回事……」他開口道。

他們來到對面盡頭的拱門處停下。飯店外面點著一整列燈光，把草坪照耀得宛如白晝，成了若干熱帶劇情故事發生的理想場景。然而場景裡頭是空的，整齣戲都在交誼廳上演。

「我要你解釋！」堅尼斯很不客氣的說。

「解釋什麼？」

「我以最榮幸的心情向席拉．費恩小姐求婚，滿以為她也願意嫁給我，但是她今天向你徵詢意見——這事跟你一點關係也沒有，而你竟然慫恿她拒絕我！」

塔尼維諾聳了聳肩。「我替人算命的內容，從不與外人討論。」

「你必須跟我討論，你得認清楚這一點！」

「若是那樣的話，你要我說什麼呢？我只是把水晶球裡看到的事告訴顧客而已。」

「鬼扯！」堅尼斯憤怒道：「為了合乎你的幻想，你什麼話都會說！你憑什麼理由建議席拉拒絕我？」他上前兩步，和命相家四目相對。「你自己是不是愛上她了？」

命相家露出笑容。「費恩小姐是位非常迷人的……」

「這一點不必你多嘴。」

「她是非常迷人，但我卻不容許和顧客發生感情瓜葛，那是不智之舉。我之所以這樣勸她，是因為我在這場婚姻裡頭看不到幸福的可能。」他的語氣嚴肅起來。「而且我今天還很意外的幫了你的忙，無論你是否會感激。」

「哦，是嗎？」堅尼斯說：「但是我可沒要你這個江湖郎中幫忙。」

塔尼維諾黝黑的臉上紅了起來。「那我們之間就沒什麼好講的了。」他轉身要走。

堅尼斯立刻拉他的手臂。「事情還沒完，你得立刻到費恩小姐那裡，告訴她你是個假貨，是個騙子，你今天跟她講的話統統要收回。」

塔尼維諾甩開他的手，「如果我拒絕呢？」

「你如果拒絕，」堅尼斯答道：「我會狠狠揍你一頓，讓你一輩子都忘不了！」

「我偏要拒絕。」塔尼維諾靜靜的說。

堅尼斯手臂往後拉弓，卻不料被人牢牢抓住，吃了一驚。他回過頭。導演瓦爾·馬提諾抓住了這位英國人的手。馬提諾身邊是杭特立·范豪恩，光鮮的穿著好萊塢的晚禮服，正饒有興致的旁觀著。

「好了！好了！」馬提諾臉色比平常還要紅，咆哮著道：「兩位都請停住吧，電影裡面這種場面已經太多了。我們不可以這樣，堅尼斯，我們不可以這樣。」

四個人一時之間都站著不動。一個身穿晚宴服的矮胖中國人踱步過來，塔尼維諾叫住了他。「啊，陳督察，麻煩你來一下好嗎？」

陳查禮走上前來。「噢，是塔尼維諾先生，」他說：「揭開未來神祕面紗的人。」

「陳督察，」命相家開口道：「請容我介紹一下，這位是范豪恩先生，還有馬提諾先生是吧？另外這位是亞蘭·堅尼斯先生。各位，這位是檀香山警察局的陳督察。」

陳查禮優雅的行個禮。「真是太榮幸了。像各位如此出眾的一群，不必睜大眼睛也看得出來。」

堅尼斯瞪著塔尼維諾。「好極了，」他輕蔑的說：「躲到警察背後去了，你這種人果然跟我料想的一樣。」

「行了，行了，」馬提諾打岔道。「陳督察，我們這裡有個小小的誤會，但不會有問題的。我相信在這一行，名譽對我們都太珍貴了，對我來說當然如此。」

范豪恩看了一下手錶。「八點了，」他說：「我要到席拉那裡了，有誰要跟我一塊去嗎？」

導演搖搖頭。「現在還不行，稍後我會到。」演員慢吞吞的走了。馬提諾的手仍抓著英國人的手臂，想拉他離開。「我們到陽台那裡好好討論一下。」他苦苦勸道。

堅尼斯轉向命相家。「我要到十二點才會搭船離開，」他說：「在此之前我們還會遇到的。」他讓馬提諾帶著他離開了交誼廳。

「想必是你前一次幫人家看的相落空了，」陳查禮對塔尼維諾說：「剛才那位先生的眼神我不太喜歡。」

塔尼維諾笑了起來。「噢，他會再來找我的。我觸犯到他了，非常無心的。」他若有所思的看著陳查禮。「對了，陳督察，遇到你真是太好了，我正想找你呢。你今晚有什麼活動嗎？」

「我會在這裡參加扶輪社的晚宴。」陳查禮解釋道。

「太好了，你會待上一段時間嗎？」

陳查禮點點頭。「晚宴後上台講話的人很少會自動停下來。」

「那會到十一點囉？」

「恐怕很有可能。」

「我要到海邊一個朋友家吃晚飯，」塔尼維諾說：「也就是席拉．費恩小姐的家。陳督察，從現在起到十一點這段時間內，我說不定要給你非常重要的訊息。」

陳查禮眼睛緩緩睜大起來。「什麼樣的訊息？」

塔尼維諾遲疑了一下。「今早你剛好跟我提到，洛杉磯有幾樁謀殺案到現在還沒偵破，而我說，我對這樣的事比較喜歡置身事外。但是陳督察，我們比較喜歡怎麼樣並不總是能夠如願。」說完他便要走。

「等一下，」陳查禮說：「你這樣要我停止好奇心，根本是負薪救火。我可以再問一遍嗎，你指的是什麼訊息？」

命相家看著他良久良久。「是個要通報你抓住殺人犯的訊息，但是……我不能夠再多說了，情形或許會有閃失，以你的經驗，想必很了解這點吧。我很慶幸你離得那麼近，至少到十一點吧，在那之後，我也許能聯絡到你家裡吧？」

「沒問題！」陳查禮對他說。

「希望能成功！」塔尼維諾神祕的笑道，隨後走回大廳中央，找那對先前一起聊天的老夫婦。陳查禮在他背後看了半晌，之後把寬厚的肩膀聳了聳，回頭去找扶輪社晚宴的會場。

【第三章】獻花給席拉・費恩

杭特立・范豪恩沿著卡拉卡華大道，向席拉・費恩的家漫步走去。位在太平洋洶湧波濤中的這個蕞爾小島，還是可以看到若干過往的浪漫表徵。他彷佛置身在好萊塢大道上：汽車在美國式的柏油路面上川流不息著，一輛電車轟然駛過，他走在鋪著水泥路面的人行道上，頭頂上現代化的路燈正散發著柔和的黃色亮光。然而在街燈照射不到的範圍之外，他注意到了黑天鵝絨般的熱帶夜色，聞到了薑花和雞蛋花的芬芳，巴豆樹籬旁盛開著木槿花，滿樹淡粉色的花朵半夜就要凋謝了。

他走到席拉講的門牌號碼，通過最外面的園門，寬敞的車道直繞到房子寬綽的大門前面。他經過一株大榕樹下，樹上結子纍纍，樹齡比電影的歷史早了兩百年，按過門鈴，耶索前來應門。

「喔，是范豪恩先生，」老管家說：「好高興又見到你。」

「你近來好嗎？」演員問道。

「還不錯呢，先生。這趟到大溪地玩得不錯吧？」

范豪恩脫下草編涼帽，他沒戴那頂萬人迷的軟呢帽。「大溪地還太原始，」他笑道：「去到那裡會讓你想念好萊塢，耶索。」

老管家拘謹的笑了笑。范豪恩推開簾幔進到客廳，耶索跟上去。

「都沒有人在嗎？」演員驚奇道：「天吶，難道我比別人都早到嗎？」

「噢，不是，范豪恩先生，有幾位客人很喜歡游泳，聽說這在某些圈子很有名，有幾位客人還在海灘那裡吧，我想。先生，你想不想也加入那幾位年輕人呢？」

范豪恩笑了起來。「外交部門可惜少了你的參與。不了，我雖然很希望被劃入年輕人那一邊，但是游泳這碼子事牽涉到太多的穿穿脫脫，煩死人了，我還是衣服乾乾的留在岸上好了。」

「那也很好啊，先生，」耶索頷首道：「現在已經八點十五分，馬上就要吃晚飯了，待會兒我必須去叫他們回來。」

范豪恩看了一下客廳。「咦，沒準備雞尾酒嗎？」

「雞尾酒要稍晚一點才上，先生。我們這次調酒用的原料，是一種非常粗純的材料，這我只告訴你。但送貨給我們的那位先生剛剛才到，你按門鈴時，我手上正拿著攪拌器呢。」他走到通往涼台的落地窗旁邊。「先生，你從這裡可以看到大海。」他說。

范豪恩笑了起來，走到涼台那裡，老管家跟過去，把紗門打開。

「喔，果然，」演員說：「我聽到浪濤的聲音了，想必大海就在前面不遠的地方。」他佇立在門邊，右邊有亮光從樹影中穿過來，他用手指著，「那地方是幹什麼的？」

「是座棚屋之類的，」耶索解釋道：「在英國的話是避暑用的，因為我們那裡才有冬夏之分。或許有幾位客人在那裡吧。」

范豪恩出去外面草坪，朝著光線的來源走去。忽然在浪濤聲中，他聽到了沙灘上傳來的嬉笑聲，不禁呆立著，不知要朝哪個方向走才好。

此時，耶索回到客廳，一位彎腰駝背的中國老頭拖著步伐走進來。

「我說老吳啊，」老管家語帶指責的說：「在一個井然有序的家裡，廚子應該待在廚房才對。」

老人似乎置若罔聞。「晚飯幾點開始？」他問。

「我告訴過你了，八點半嘛，」耶索回答道：「不過可能會稍微延後。」

老吳聳了聳肩。「真搞不懂這個家在幹什麼？晚飯時間就快到了，我全部都弄好了，掌櫃的卻說要等，等個頭喔。」他走開了去，口中還發著牢騷。

紗門在威奇．巴洛背後砰一聲關上，他漫無目標的越過涼台，進來客廳。

「先生，因為一些客人到海邊游泳的緣故，晚飯恐怕要延後了。」耶索告訴他說。

「什麼？喔，是的，我想也是。有香菸嗎？我菸盒子空了。」

耶索拿了一整盒菸給他，巴洛取了一根，一屁股坐在椅子上。管家遞上火柴，隨後退到廚房。

十五分鐘後，耶索回到客廳，看到巴洛依然在原處坐著。

「情況有點特別了，先生，」耶索說道，他手上拿著一個開飯鈴，「書上說中國人是個很有耐性的民族，我一直以為如此。」

「他們是有這樣的美名。」巴洛點頭說。

「我們廚房裡的中國人代表可不支持這一點，」耶索吁了一口氣：「他老先生很嚴厲的告訴我說飯菜快涼了，我去海邊看看情況如何。」他下巴朝手搖鈴一歪，走了出去。不久他在遠處搖響鈴聲，聽起來倒不至於不協調。

巴洛又點起一支菸，耶索回來了，背後跟著麗泰·巴洛和范豪恩。

「威奇，你應該留下來的，」麗泰說：「我剛剛跟人聊了好多好萊塢的最新動態。」

「我才沒興趣！」巴洛發牢騷說。

「可憐的威奇，」他太太笑道：「他的就寢時間就快到了，卻連晚飯都還沒吃。打起精神來吧，馬上要開飯了。」

黛安娜·狄克森氣喘吁吁的跑進來。「我們好像玩得太晚了，」她嚷道：「你們應該跟我們一起玩才對，太好玩了，但是游的距離還不夠長，一半都不到。我再多玩個幾小時也沒問題。噢，是雞尾酒，現在喝剛剛好。」

她從耶索手上的托盤取了一杯，另外幾位也人手一杯。杭特立·范豪恩高舉著杯子。

「敬我們的女主人，若她在的話。」他說。

「對噢，席拉哪裡去了？」麗泰．巴洛說：「我們剛來的時候還跟她聊了一下。」

「席拉呀，」范豪恩促狹的笑道：「想必在後面躲了起來，等著來一個令人矚目的出場亮相。她可能騎了一匹白馬進來，也說不定從汽球上降落下來。你們知道，她最迷那一類的事了。」

茱莉和吉姆．布萊蕭興高采烈的衝進來，「哈囉，范豪恩先生，」女的大聲說道：「整個人都來了嗎？」

「喔，」范豪恩洩氣的說：「妳跟我講話那麼粗魯。」

「噢，你知道我什麼意思啦，」她大笑道：「其他的客人呢？瓦爾．馬提諾、堅尼斯先生、塔尼維諾……」

「塔尼維諾也要來？」范豪恩揚揚眉：「那樣的話，我可要再來一杯雞尾酒。謝謝你，耶索。」

突然門口傳來鋼絃吉他的曲子，好幾個年輕的聲音合唱著一首夏威夷民謠，茱莉一聽興奮的大叫起來。

「是席拉的影迷為她唱的小夜曲，」她說：「很感動是不是？她一定會很高興。」

她身上的海灘浴袍在背後滴起水來，但是依然跑到前門，把門打開，見是一群高中女生，手上都捧著鮮花。她們止住歌聲，一位日本小女生走上前。「我們可不可以見一下席拉・費恩？」

「當然可以啦，」茱莉說：「請妳們稍等一下，我去找她來。妳們等她來的時候，如果不介意的話可不可以唱那首〈夏威夷之歌〉？你知道，那是她最喜歡的歌。」

她讓門開著，回到客廳來。「走吧，吉姆，我們去找一下席拉。我猜她在棚屋那裡。」

「好啊！」吉姆應道。兩人從涼台出去到了草坪。

「這樣再好不過了，」茱莉大聲說：「我是說，讓席拉在這時候出現在晚宴上，當她出場時，外面正好有一群人在為她唱歌。這個方式她一定愛死了。」

「老天啊！」布萊蕭不以為然道。

「噢，我懂你的意思，」女孩回答道：「那樣是很蠢，但是席拉就是那樣，她的生活就是如此過的，不可能改變。」他們走過了黃槿和角豆樹底下柔軟的草坪，〈夏威夷之歌〉甜美醉人的旋律順著晚風傳進他們耳中。「快一點吧，」茱莉說：「席拉必須在那首歌結束之前進到屋裡。」

她三步兩步跳上棚屋的台階，布萊蕭在背後緊緊跟著，他率先上前推開棚屋的門，在門口呆立了一兩秒鐘，隨即轉過身，將女孩擁入懷中。

「不行，不行，」他大聲說道：「妳別進去！」

他的語氣嚇到了她。「你說什麼？」

「妳轉身回去！」他懇請道，但是茱莉掙開了他，跑了進去。

「妳會後悔的！」他警告道。

她似乎是後悔了，遠處雖然傳來小夜曲的歌聲以及鋼絃吉他低沈的伴奏，她那又懼又怕的尖叫還是陡然拔高，蓋過了前二者。

席拉·費恩倒臥在地上，身旁立著一張小靠背椅。她胸口被刺一刀，身上價值不菲的象牙白色洋裝染紅了一大塊。棚屋之外，她那群小影迷仍然唱得十分起勁。

茱莉跪倒在女星遺體旁邊，布萊蕭把頭別過去，不久他繞過去，把茱莉扶起來。

「我們最好離開吧，」他口氣柔緩的說：「我們在這裡幫不上忙。」

他帶著茱莉走到門邊，茱莉在淚光中看著他。「是誰……誰……」她喃喃的說。

「唉，是啊，」他回答道：「恐怕這是目前最大的問題了。」

他意外發現到門的內側插著鑰匙。兩人出去外面，布萊蕭把門鎖上，鑰匙放進自己口袋。他們緩緩走回屋子，杭特立・范豪恩在門口等著。

「妳告訴席拉了嗎？」他說：「場景都安排好了，客人全在客廳，她的影迷正在大門口賣力的唱歌，這時候出場最棒了——」一見到茱莉的臉色，他的話登時止住了。

「怎麼啦？」麗泰・巴洛驚叫道。

布萊蕭看著這一群人。耶索進來客廳，手上端著銀托盤，動手收拾著喝過的雞尾酒杯。門外面，〈夏威夷之歌〉悠然唱到尾聲。

「席拉・費恩在棚屋被人謀殺了。」布萊蕭低聲說道。

忽然嘩啦一陣銀托盤跌落在地，耶索四十年來侍候杯盤的工作首度失手了。

「麻煩再說一遍？」他一無說話對象的問。

大門外，席拉・費恩的小影迷又唱起另一首歌，布萊蕭一把撥開簾子衝到門口。

「拜託！」他大聲叫道：「拜託，別再唱了！妳們必須走了，費恩小姐今晚不能夠見妳們。她……她生病了。」

「那太遺憾了，」模樣像是帶頭的女生說：「你可以把這些花送去給她嗎？」

小女生們一一把花交給了他。他雙手捧著五顏六色的花，舉步維艱的退回玄關，茱莉臉色慘白的站在那裡，眼睛睜得大大的望著他。

「這些是她們送的，」布萊蕭告訴她：「說是要送給席拉‧費恩的花。」

茱莉哽咽一聲，跪在地上大哭起來。

【第四章】門外的駱駝

一小段路之外的格蘭飯店裡，陳查禮發現這頓晚餐看來挺棒的，扶輪社會餐後的專題演說已經不足為慮了，今晚菜色之好，令他覺得舉世充滿了祥和。像他面前擺的一盤小魚，魚的名稱雖然不知道，不過吃了一口之後，他立刻打心眼裡肯定這是條好魚。他朝向前傾，想多舀一點菜到自己的餐盤裡，忽然有位服務生走來，碰了一下他的肩膀。

「有人打電話找你，找得很急。」服務生說。

他沿著長長的交誼廳走向電話亭，心中一方面升起了隱隱的不安。他寧可過著一種可以安安靜靜思考的生活，然而命運總是毫不容情的把一些新的難題丟進來，迫使他非解決不可。現在又不知道發生了什麼事，他進入電話亭，把門關上。

恭候他的是一位年輕人激動不安的聲音。「喂，老陳啊，我是觀光局的吉姆．布萊蕭啦。杭特立．范豪恩說你在飯店這裡。」

「沒錯，這下你找到我了。聽你這樣魂飛九霄的，發生了什麼事？」

布萊蕭糾纏不清的把狀況報告出來，陳查禮靜靜聆聽著。

「是席拉．費恩欸，」年輕人滔滔不絕的說：「你知道這是什麼意思嗎，老陳。這件事今晚就會傳遍全世界，而你將會受到前所未有的矚目，你最好盡快到這裡來吧。」

「我立刻就到，」陳查禮回答道。咦，布萊蕭遲疑了一下，是電話另一頭歎了一口氣嗎？「在我到達之前，注意現場別被任何人動過。」當偵探的又補充道。

陳查禮掛上電話，接著又撥到警察局交代了幾件事。最後他步出電話亭，拿手帕擦了一下眉間的汗。有一眨眼的工夫他站著一動也不動，彷彿針對眼前的案子正在調集全身的力氣。又發生一件刑案了，而且是件命案，他知道那個小伙子講的話沒錯：這回他可真的要在耀眼的聚光燈底下辦案了，而且死者竟然是席拉．費恩！就如他經常向人講的，他有事沒事的生了許多子女，每一個都是電影迷，因此死在不遠處海濱的那個女人向來受到何等的關注，他了然於心。

「千里之行，始於跬步，」他自言自語的歎了一口氣，隨即邁出了第一步——朝向掛著他那頂帽子的方向。

當他折回飯店門口的時候，正好遇到了塔尼維諾，這位算命的手上也拿著一頂帽子，看樣子正要外出。「哈囉，陳督察，」他說：「你晚飯吃過了嗎？」

「還沒咧，發生了一件重大的事，把我從餐桌上拉開了。」陳查禮說：「這種重大的事我有時會碰到。」

「哦？」塔尼維諾輕輕的說。

陳查禮那雙小眼睛凌厲的望著對方的臉。先別那麼急著去採集印象，應該做的是評估、判斷、研究。

「席拉．費恩小姐，」他緩緩的說：「剛剛在她的家裡被人謀殺了。」

那張黝黑而神祕的臉上突然掠過的表情，許多小時之後他會對此加以思考。

「席拉死了！」塔尼維諾大叫道：「啊，天吶！」

「你正要去那裡是吧？」陳查禮接著說。

「我……噢，是啊……」

「那請勞駕坐我的車吧，我想問你幾個問題。」

瓦爾・馬提諾趕了過來。「喂，塔尼維諾，你要去席拉那裡了嗎？」

塔尼維諾把這件噩耗告訴了他，導演吃了一驚，沈默下來。

「太糟糕了，」他平靜的說，腦筋轉動起來。「唉，辛辛苦苦工作了六個月，這下電影全泡湯了，又找不到人可以當她替身，我試過了。」

「天啊，先生！」塔尼維諾憤怒的嚷道：「席拉死了，你卻一直嘀嘀咕咕講你的電影！」

「對不起，」馬提諾說：「席拉的事我很遺憾，但是即使是在電影裡頭，戲還是要繼續演下去。」

「堅尼斯那傢伙人呢？」塔尼維諾突然問道。

「一離開你們之後，他就把我甩開，向海邊走過去。他心情壞透了——唔，這你也看到了。他不去席拉那裡吃晚飯，但我還是去把他找來，帶去席拉那裡對吧？」

「對，對，我必須見到他。」陳查禮趕緊說。「走吧，塔尼維諾先生，我們行動必須要快了。」他帶領命相家到外面車道，那裡停著他那輛破車。「這輛車看起來是不怎麼樣，」他致歉道：「不過還能夠跑。請上車吧。」

塔尼維諾不發一語的鑽進這部兩人座汽車，陳查禮發動了引擎。

「真是太可怕了，」命相家說：「可憐的席拉，我實在無法理解。」

陳查禮聳了聳肩。「時間會讓一切沉澱。」他勸慰道：「有個東方俗諺你也許聽過：『死亡就像黑色駱駝，不請自來的守候在大門外。』死，遲早會降臨的，它有那麼重要嗎？」

「你講的我懂，」塔尼維諾接下去說：「但從某一方面來說，我恐怕要負責。啊，天吶，我越是想到這個，情形就越發明顯。席拉的死我得負責任。」

「你的話聽起來有點名堂，可以解釋一下嗎？」陳查禮說，車子通過飯店入口，開上了卡拉卡華大道。

「今天傍晚我不是告訴你說，」命相家接下去說：「我說不定會通知你去逮捕一名重大刑案的要犯嗎？我當時是很有把握的。我盡可能簡單扼要的向你解釋好了。

「先前席拉·費恩在輪船上打電報給我，要我到這裡來，情形是堅尼斯向她求婚了，而她要詢問我的意見。過去一段時間，她不管碰到任何問題，都習慣來找我商量。

她愛堅尼斯，想嫁給他，但又擔心未來會發生什麼事，有一件可怕的祕密在她心裡藏了三年多，她惟恐外界隨時會發覺。」

「什麼祕密？」陳查禮問。

「今天早上你提到了丹尼．馬佑，」塔尼維諾接著說：「三年多前在洛杉磯，他被人發現死在自己家裡，從那時候起，警方對這個案子就一籌莫展。但是席拉．費恩知道殺死丹尼．馬佑的兇手是誰。案發當晚她正好去找馬佑，門鈴響的時候，她陰錯陽差躲在另一個房間裡，目睹了整件事情的經過，今天早上她全部向我坦承了。更重要的是，她告訴我殺死丹尼．馬佑的兇手人現在就在檀香山。」

陳查禮的眼睛在黑暗中發亮起來。「她告訴你兇手是誰了嗎？」

塔尼維諾搖搖頭。「很抱歉，沒有，我想盡辦法要她講都沒有用。她的理由當然是不想讓自己跟這個事件的關聯揭露出來，否則她的演藝生涯就毀了。這些年來她一直守住這個祕密，但碰到想嫁給自己真心喜歡的人時又猶豫起來，因為以後若案情曝光，就會害另一半遇上不愉快的場面了。」

「這也是人之常情，」陳查禮頷首道：「你有鼓勵她講出來嗎？」他把車駛入席拉住宅的車道上停下，但是並未動身下車。

「我當然鼓勵她這麼做，」塔尼維諾說：「不但如此，我還強烈建議她放下內心的重擔，找到最終的寧靜。我向她保證說，假如她主動說出兇手的名字，世界上不會有警察會因她的長期緘默，而想要懲罰她的。我這麼說對吧？」

「以我個人而言，是的。」陳查禮點頭道。

「我建議她此刻應該拒絕堅尼斯，先了結掉那件不愉快的任務，那是她虧欠社會的。我說，這件事對她的幸福是個威脅，她若是帶著這個威脅嫁給任何一個男人，都是非常愚蠢的行為。我指出，如果堅尼斯真正在乎她的話，他終究會跟她結婚，如若不然，及早發現也比較好。」

他們下了車，站在一株榕樹下。陳查禮凝視著命相家的臉。「要是堅尼斯到頭來不娶她的話……」

塔尼維諾聳了聳肩。「你想錯了，」他說：「我並沒有對席拉．費恩動感情，在角色上面我也不存幻想——被她看作神祕人物有點出乎我的意料。我只是覺得，為了她的幸福著想，她終究要擺脫這個負擔，所以我懇求她把馬佑那件案子的真兇公諸於世。」

「她同意了嗎？」陳查禮問。

「還沒有，這個主意把她嚇壞了。她說要好好思考一下，今晚再把決定告訴我。我告訴她說：『妳寫個簡單的聲明，裡頭包含那個人的名字，今晚吃飯的時候交給我，我會盡可能幫妳把所有的事安排得簡明一點。』我對這件事是很有信心的，要不然根本不會向你提起，真的，我本來可以拿到的，可是現在……」

「現在，」陳查禮說：「殺死丹尼．馬佑的兇手讓這個女人永遠閉嘴了。」

「正是如此。」

「但是那個人為何會發現死者正在猶豫著是否要公布此事呢？」

「這我無法告訴你，」塔尼維諾說：「我住的房間外面有個陽台，隔牆有耳是有可能，但是可能性恐怕很小。要不也許是席拉跑去向兇手商量，告訴對方，這件事她再也保密不下去了。這很像是她的行事作風，她做事情往往很衝動，沒有多加思考。」他們走向住宅正門的台階。「陳督察，我希望所講的真正幫得了你的忙，或至少讓你了解事情背後的動機，縮小你的搜索範圍。請相信我，調查本案時我會站在你這一邊，盡可能協助你。我甚至比你更想知道是誰殺死了席拉。」

「你的協助會很有用的，」陳查禮對他說：「還記得我今早說的嗎？你是個第一流的偵探。做夢都沒想到，我們會那麼快就並肩作戰了。」

耶索開門讓他倆進去，到了客廳，只見巴洛夫妻和范豪恩失魂落魄的默默坐著。陳查禮仔細注視著這一小群人。吉姆．布萊蕭從他背後進來，身上的泳裝已經換成了晚宴服。

「哈囉，老陳，」他低聲說：「你到了，太好了。出事地點是棚屋，就在房子右側草坪那裡。一發現出事的時候，我就鎖上了門，鑰匙在這裡。」

「你的確聰明，長久以來有目共睹。」陳查禮欣然的說，隨後他轉向其他人。「我想大家都清楚吧，任何人要離開這幢房子，必須得到我的同意。塔尼維諾先生，請跟我來好嗎？」

他跟命相家兩個人默默的走到院子裡的草坪，月亮現在已經出來了，照得地上白白的。陳查禮先上了台階，將門鎖打開，塔尼維諾雖不情願，還是跟了上去。

陳查禮進到裡面，半跪在席拉．費恩身邊，視線緩緩從她身上移向塔尼維諾。「我長久以來做的就是眼前這樣的事，」他說：「但是心腸並未自然而然變得冷漠、無動於衷。我為這位女士感到難過，雖然我以前沒見過她，但我真的為她感到難過。」他站了起來。「今晚黑駱駝可是跪在名人的大門口。」

塔尼維諾依然跟死者隔著相當的距離，他似乎在努力控制著自己。「可憐的席拉！」他喃喃說道：「她的生活那麼美好。」

「我們每個人的生活也一樣啊，」陳查禮點頭同意說：「即使乞丐走過搖搖欲墜的橋樑時，心中也會猶豫。」

「我將一輩子無法原諒自己，」另一個人繼續說：「你現在所看到的一切，全是今早在我的房裡惹出來的。」

「既來之，則安之。」陳查禮安慰他。「屍體要等驗屍官來到之後才能移動，局裡面我已經聯絡過了，但是我們還是要調查看看，塔尼維諾先生，可別忘了，你是來幫忙的。」他再度跪下去，拉起席拉．費恩的左手。「已經有了證據，這裡曾經有過掙扎，手錶打壞了，不但錶面破了，而且……」他將錶貼近耳朵，「錶內零件也驟然停止，指針停在八點零二分的位置。好快呀，我們毫不費力就知道了命案發生的時刻，真是太好了。」

「八點零二分，」塔尼維諾說：「當時你、我、堅尼斯、馬提諾還有范豪恩都在格蘭飯店的大廳裡面，還記得……范豪恩看著手上的錶，指出當時是八點，並且說要到這裡來。」

「沒錯，」陳查禮點點頭：「不在場證明蜂擁而至。」他指著散落一地的蘭花。「更進一步的抵抗證明，花朵被扯了下來，還被踐踏過。」

「整個情況有一點像是因嫉妒而殺人，」塔尼維諾皺著眉頭答道：「動機是這樣，沒錯吧？不對，也有可能是因憤怒而殺人。」

陳查禮兩手在地毯上摸索。「情況有點怪異，」他說：「這些花是用別針別上去的，你看，死者衣服上的肩帶撕裂了，但別針卻不在這附近。」他仔細檢查過蘭花，又在地板上徹底的搜索，塔尼維諾在一旁注視著他　「這是真的，」他站了起來，復又說道：「用來固定花的別針很離奇的失蹤了。」

他走到一張桃花心木製的老式梳妝台旁邊，這件家具當年想必漂亮得很，如今卻被貶到海邊這座空屋。桌面上有張玻璃墊，他從口袋裡拿出一個放大鏡來，彎下腰去仔細察看。「還有一點，」他說：「這張玻璃墊角落有個剛剛產生的裂痕，這又代表什麼？」

桌上還有個市價不菲的金絲網袋，塔尼維諾拿起來看了看。「唉，沒有用的，」他說：「裡頭只有個尋常的粉盒，和一些零錢而已。我還突發奇想，以為席拉說不定寫下了嫌犯名字，如果是的話，那就太妙了，案子還沒有開始查就結案了。」

「很多刑事案件可不容你輕鬆的解決，」陳查禮歎道：「如果那張你那麼急著想看到信，曾經出現在這裡的話，現在也落入兇手的手裡了。不會的，命運從來不那麼仁慈，我們必須展開長途跋涉了。走吧，這裡的事我們先告個段落，等一下還有好多事要忙。」

他們走出棚屋，陳查禮把門鎖上。從草坪上走過時，他數了數迄今發現的線索。「一隻歷經掙扎、時間停在八點零二分的手錶；一束同樣歷經激烈打鬥的蘭花，用來固定蘭花的別針離奇的失蹤了；梳妝台玻璃墊一角有個新生的裂痕。就此刻而言線索或許夠多了。」

進到客廳，耶索正好迎進來馬提諾和亞蘭．堅尼斯，後者古銅色的臉變得蒼白，人顯得十分沮喪。

「我們每一個人都需要一張椅子，」陳查禮提議道，「我現在有很多問題必須請教各位。」

耶索走到塔尼維諾面前。「先生，我很抱歉，」他說：「剛才真的有些混亂，這東西我幾乎忘了。」

「你忘了什麼？」塔尼維諾驚奇的問。

「先生，是這封信，」他從口袋拿出一封精緻的信封，「費恩小姐要我在你一來的時候就交給你。」

塔尼維諾伸出手來，但是陳查禮一個箭步來到他倆中間，拿走了信封。「很抱歉，現在這裡由警方接管。」

「那當然，先生。」耶索鞠了個躬，退向一旁。

陳查禮手拿著信，一副很無助的樣子。不會吧？問題的答案那麼快就握在他手裡了？他和塔尼維諾交換了心照不宣的表情。客廳裡似乎擠滿了人，每個人都忙著找座位坐下。陳查禮撕開了信封封口。

客廳裡只有落地檯燈是唯一的照明設備，陳查禮走了過去，信封封口已經撕開，他正要抽取裡頭的信，燈突然滅了，客廳裡一片漆黑，接著呼的一個拳頭揮出，有人唉了一聲，隨即倒下一個頗有分量的軀體。

現場一片混亂，黑暗之中有人不停叫著把燈打開。牆壁托架上的燈打開了，開關是耶索按的。

陳查禮緩緩從地板上爬起來，他撫摸了一下右臉頰，有點流血。

「十分抱歉，」他看了塔尼維諾一眼，說：「我聽說全能的朱比特偶爾也會打盹，至於我自己，恐怕在運氣最差的時候小睡了一下。」他左手只抓著信封的一小角碎片。「這封信最重要的部分似乎到別地方去了。」他說。

【第五章】身穿大衣的男人

陳查禮手拿著那封信的殘片站立良久，表情平靜無波，很難看出內心在想什麼。剛剛一屋子都是人的時候，有人玩了個把戲，把這位檀香山警察局鼎鼎大名的偵探羞辱了一場。

堂堂的陳查禮在七個人面前出醜了。雖然他在夏威夷住了很多年，那身為東方人的脾性依然感受到一股急怒攻心，連他自己都嚇一跳。

他竭力將那股情緒很快的壓制下來。他知道，憤怒是摧毀理智的毒藥，而他需要全副精力來應付迫在眉睫的考驗。他在這件事上遇到對手了，那對手不僅在心態上很有拼勁，而且反應機警，出手迅速。好極了，這樣更好，陳查禮告訴自己說，到最後打敗這樣的對手，才會有更大的滿足感。因為他將會贏，對此他已痛下決心。這個不知名的人，先是殺了丹尼·馬佑，之後為了保住這個祕密，又殺了席拉·費恩，此人最後一定要繩之以法，否則陳督察終不甘心。

塔尼維諾難掩憤慨之情的看著他。「非常抱歉，」他冷冷的說：「現在這裡應該由警方接管了。」

陳查禮點點頭。「你嘲笑得一點也沒錯，我這輩子調查案子從未碰過這樣的事，但是我向你保證，」他緩緩環顧了一下其他的人，「剛剛打我一拳的人將會付出代價，我今晚絕不會把另一個臉頰轉過去讓他打。」

他拿出手帕，敷在剛剛不幸挨了打的臉頰上，用不著看到白手帕上的血痕，他也知道動手的人戴了戒指。他掛彩的是右臉頰，這麼說來對方很可能出的是左拳。他注意到范豪恩左手戴了大印章戒指，轉過頭去看威奇·巴洛，他左手的鑽石閃了一下。他祕密進行了這樣的調查：布萊蕭、馬提諾、塔尼維諾和堅尼斯手上都沒有戒指。

塔尼維諾雙手舉起來。「你可以從我開始，」他說：「在場的人你當然要搜身了。」

陳查禮露出笑容。「我可不那麼笨。剛剛賞我一拳的人才不會將那封信帶在身上，惹禍上身。更何況，」他走開了去，無所謂的補充道：「那封信不那麼重要了。」

塔尼維諾放下來手，陳查禮取消他認為十分重要的搜身行動，他露出非常不以為然的表情。但是陳查禮不理會他，迅速的察看落地檯燈的電線，牆上的插座高出地板數英吋，插頭已經躺在地上，由兩片丫叉的模樣可以看出插頭很容易脫落，只需在任何一點踩住電線，往外一帶就行了。做起來是簡單，但是腦筋的確要動得快。陳查禮把插頭插回去，檯燈又亮了。

他回到客廳中央。「我們現在不浪費時間去搜尋那封信了，」他說：「而是把焦點落在大家身上，這樣也許可以從大家口中，得知今晚八點零二分的時候，各位都在幹什麼。」他滿腹思緒的看著在場的人。「我在考慮該由誰開始，巴洛先生，你是個熟面孔，我就由你開始好了。請你講一下當時你跟巴洛太太人在哪裡好嗎？」

這位百萬富翁擺出白人的傲慢態度看著他，一副已在他認為低等族群裡生活了許久的樣子。「我幹嘛要講？」他滿不在乎的問道。

「這裡出了人命，」陳查禮斷然回答道：「我知道你在這個島上地位崇高，但是並不能免除訊問。我可以請你賜予答覆嗎？」

「我們受邀來此參加晚宴，」巴洛說：「我們是……費恩小姐的老朋友。」

「你是在好萊塢認識她的？」

「是。」

「巴洛太太在嫁給你之前，也曾經是知名的電影明星？」

「是又怎樣？」巴洛佛然道。

「威奇你有禮貌一點好嗎？」他太太指責他道。「是啦，陳督察，我以前拍過電影，用的藝名是麗泰·蒙妲，說起來，我還真的滿有名的哩。」

陳查禮行了個禮。「那還用說嗎？嗯，我可不可以請問一下，妳結婚多久了？」

「到這個月剛滿三年。」她和顏悅色的說。

「那妳結婚之前一直住在好萊塢囉？」

「噢，是啊。」

「那妳記不記得，巴洛先生婚前曾否在好萊塢住過一陣子？」

「是的，他在那裡逗留了好幾個月，懇求我放棄影藝事業嫁給他。」她老公哼了一聲。

「你不記得了是吧，威奇，但你就是那樣。」

「講那些撈什子，跟席拉．費恩被殺的事有什麼相干？」巴洛憤怒的大聲嚷道：「陳督察，我認為你已經超越職權了！你最好小心點，我可不是一點辦法都沒有的人。」

「十分抱歉，」陳查禮安撫他道：「馬上回到眼前的事，你們今晚什麼時候來到這裡的？」

「七點半的時候，」他答道：「晚飯是八點半，但是我太太是經由電話受邀的，跟平常一樣，」他看了太太一眼，「她又把事情攪得一團亂。」

「七點半，」陳查禮趕緊插話，阻止麗泰．巴洛的反唇相譏。「麻煩你描述一下從當時到現在做些什麼事。」

「你想幹嘛？」巴洛鹵莽的拒絕道：「你該不會認為是席拉．費恩是我殺的吧？天吶，我要去找你們局裡的人談這件事，你知道我是什麼人嗎？」

「好了吧，你是什麼人啊，威奇？」他太太厭煩的說：「你幹嘛不告訴陳督察他想知道的事情，然後就沒你的事了？」她轉向陳查禮，說：「我們大約七點半來到這裡，跟費恩小姐聊了一下，然後出去海邊那裡看人家玩水，去的時候大約是七點四十五分，我猜。」

「妳們出去多久？」

「我在海灘那邊一直待到耶索八點半出來的時候。在那十分鐘前，范豪恩先生加入我們，我先生則是站起來慢慢走回屋裡。」

「這麼說，八點零二分的時候，妳和妳先生兩個人正肩並肩的坐在沙灘上，當時妳有沒有聽到喊叫或其他異常的聲音？」

「沒有欸，那兩個女孩子在海水裡喊來喊去的，那種情況你也知道，但那樣的喊叫聲應該不是你所指的那種吧？」

「當然不是，」陳查禮答道。「非常謝謝妳，妳的部分就先問到這裡。」

茱莉．歐尼爾緩緩來到了客廳裡，晚宴的時候，她原本想穿上那件新買的粉紅色晚禮服的，現在只好掛回衣架子上，另外穿了件灰色薄紗的簡便洋裝。她的臉色仍很蒼白，不過心情似乎已穩定下來。陳查禮把目標轉向她。

「晚安，我很遺憾在這種情況下來到這裡，我直到現在才有榮幸見到妳，可不可以告訴我妳的身分？」

布萊蕭走上前，介紹茱莉給陳查禮認識，又進一步說明了她在這個家裡的身分。

「妳的處境我深表同情，」陳查禮說：「但是在形式上，我還是必須請問一下，剛才那段不幸的時間裡妳在做什麼？」

「這我可以告訴你，」布萊蕭對他說：「一石兩鳥——噢，抱歉，我是說，連同我的部分一併交代。我很早就到這裡來了，為的是要跟歐尼爾小姐一起去游泳。我們最後一次看到費恩小姐是在這個客廳，當時我們已經換裝好了要去玩水，時間大約是七點四十分吧，費恩小姐就在這裡，跟巴洛先生、巴洛太太還有堅尼斯先生在一起。」

「然後你們立刻就到海邊去了？」

「是啊，而且是衝進了海水裡，那真是太棒了，很抱歉我又為本地的海水浴場做了個小廣告。我的意思是說，從最後一次看到費恩小姐，一直到八點半耶索搖鈴叫我們回來為止，我都跟歐尼爾小姐在一起。在那之後不久，我們兩個就發現了這件不幸的事。」

「你們都一直待在水裡嗎？」

「噢，不是，我們偶爾也上來沙灘。巴洛太太正如她所講的，從一開始就在那裡，後來范豪恩先生來到之後，巴洛先生就走了。」

「這麼說，八點零二分的時候，你跟茱莉小姐不是在海裡戲水，就是在沙灘漫步？」

「大概吧，我們當然無法知道時間。時間真的過得很快，耶索來叫的時候，我們還嚇了一跳。」

陳查禮轉向那位女孩。「費恩小姐今晚肩膀上戴了一束滿漂亮的蘭花是吧？」

茱莉點點頭。「是的。」

「那一定是用別針別上去的囉？」

「對呀。」

「是什麼樣的別針妳知道嗎？」

「不知道，我記得她說要去房間找一個，也許女傭能告訴你那是什麼樣的別針。」

「妳知道蘭花是誰送的嗎？」

「知道，」茱莉答道：「卡片上沒有署名，但是費恩小姐認得上面的字跡，說是前夫送的，好像叫鮑伯什麼的，是專業劇團的演員，現正在檀香山演出。」

「他叫鮑伯·懷菲，所屬的劇團在皇家戲院演出，」麗泰·巴洛解釋道：「他跟席拉結婚的時候，席拉還很年輕，我猜想縱然是離了婚，席拉還是深愛著他。」

亞蘭·堅尼斯站起來，從菸盒裡拿出一根小雪茄，點上吸了一口，又神色不安的在客廳裡走來走去，到處找不到地方丟火柴。

「原來如此，一個離了婚的丈夫，」陳查禮忖道：「我至少該料到這樣一號人物。這位仁兄應該立刻找到，並且盡快把他請來。」

「老陳，我去幫你找他來。」吉姆．布萊蕭提議道。

「感激不盡。」陳查禮說道。那位年輕人走後，他轉向其他人。「我們現在恢復偵訊吧。范豪恩先生，你好像是位演員吧？」

「好像？」范豪恩笑了起來：「喔，真是過獎了。辛勤工作了十年，卻得到這樣的回報。」

「哦，那你過去十年都在好萊塢？」

「是十年半，迷失在門肯先生所謂好萊塢的下水溝裡。」（譯註：Henry Louis Mencken 為當時美國的社會評論者。）

「在此之前呢？」

「喔，之前我過著一種極其浪漫的日子，這你去問我的媒體公關吧。」

「我想確知真相。」陳查禮說。

「既然那樣，那我告訴你。當時我剛從一個工程學校畢業，滿臉好奇，什麼都不懂的去到那好萊塢，本來還打算修建橋樑呢，但是命運女神卻干預進來。」

「在此之前，你跟席拉．費恩小姐搭擋演出過嗎？」

「沒有。」范豪恩認真起來，「拍本片之前，我幾乎不認識她。」

「我無需問你八點零二分時候你人在哪裡吧？」陳查禮接著說。

「你是不必，」男演員同意道：「我當時跟你在同一個地方，你也許記得我看了手錶，並且說當時是八點，我想慢慢的逛到這裡。八點零二分的時候我還在你的視線範圍裡，只要你肯行使一下天賜的稟賦的話。」

「你直接到這幢房子來嗎？」

「是的，用走的。運動一下，我就是這樣保持身材的。我來到這裡差不多八點十五分，走得並不很快。耶索開門讓我進來，我們談了幾句，大約八點二十分我到海邊加入巴洛太太，就像你剛剛聽到的一樣。」

吉姆．布萊蕭回來了。「我在戲院裡找到了那個叫懷菲的，」他說：「我說出這個消息，把他嚇壞了。他說第二幕戲演完就沒事了，然後他會趕來。」

「感激不盡，」陳查禮點點頭：「你真是生性喜歡助人。」他轉向馬提諾。「我想你就是人家所稱的導演吧。」

「是的，在眾多事務中，他們管我叫這個。」馬提諾臉色不豫的答道。

「這件工作你從事很久了嗎？」

「並不很久。我之前是個演員，在英國演舞台劇，因為對電影有興趣，你知道，最後就到了好萊塢。」

「你能告訴我詳細日期嗎？」

「可以呀，我是兩年前的三月到好萊塢的。」

「當時你是頭一次到那地方嗎？」

「是啊，那當然。」

陳查禮點點頭。「我也無需問你八點零二分人在哪裡了。」

「那當然。我當時跟你和其他兩位先生在飯店裡，我記得我八點剛過要離開時還告訴過你，我要跟堅尼斯先生到陽台去一下。我想要安撫他一下，但他把我甩開，一個人慢慢逛向海邊。我在海邊步道那裡欣賞著風景，坐了大約有二十五分鐘吧。再度看到你時，我正要上飯店二樓拿帽子，出發到這裡來。」

陳查禮看向亞蘭．堅尼斯，那位仁兄正坐在客廳一角，神經緊張的抽著小雪茄。

「堅尼斯先生！」陳查禮喚道。

那名英國人站起來走向他，一面還看著手錶。「什麼事？」他問。

陳查禮嚴肅的看著他。「我想你就是今晚受到打擊最大的那位吧？」

「你這話什麼意思？」

「據說你愛的人是席拉．費恩。」

「據說，據誰說？」他憤怒的看著塔尼維諾。

「那無所謂，」陳查禮說：「你曾向她求婚是嗎？」

「是沒錯。」

「那你是愛她囉？」

「我說，你一定要在大庭廣眾之下問這種事嗎？」

「非常抱歉，我想這是我的疏失。布萊蕭先生告訴我說，你今晚七點四十五分的時候人在這裡？」

「沒錯。我是應邀來參加晚宴的。」

「而且先跟費恩小姐來段祕密性談話？」

「是沒錯，不過談話的性質與你無關。」

陳查禮露出了笑容。「唉！與我無關的事我卻知道得很多，你要求她就婚姻的事做決定，而她拒絕了你，你遂懷疑塔尼維諾先生要為此負責，怒氣沖沖的回到飯店，要找塔尼維諾理論。所以，八點零二分的時候，你正在飯店大廳裡頭大光其火。這對你來說，先生，還算滿幸運的。」

「我懂了，」堅尼斯說：「你認定這宗命案發生在八點零二分？」

「是的。」陳查禮回答道。

堅尼斯以一種鬆了一口氣的手勢，將手上的雪茄丟進菸灰缸裡。「謝天謝地，你還有其他問題嗎？」

「你在七點四十五分左右離開這裡，那是你最後一次看到費恩小姐嗎？」

「那是我最後一次看到她，是的。」

「那八點零五分到八點三十分這段時間，你並沒有回來這裡囉？」

「沒有。」

「堅尼斯先生，你去過好萊塢嗎？」

那位英國人苦笑了起來。「我沒去過，而且也不想去。」

「我就問到這裡，先生。」陳查禮點了個頭。

「謝謝你，我要說再見了，今天午夜我正好要搭『大洋號』離開這裡。」

陳查禮吃驚的看著他。「你今晚要離開夏威夷？」

「是的。」

警探聳了聳肩。「很抱歉，我要讓你失望了。你不能夠離開。」

「為什麼？」堅尼斯質問道。

「你與本案關係匪淺。」

「但是你已經鎖定命案發生的時間——而那個時間我就站在你面前，這是完好的不在場證明啊。」

「完好的不在場證明，有可能在毫無警戒的情況下變為不完好，」陳查禮對他說：「很抱歉我不能准你離境，『大洋號』將會受到嚴密監控，凡是跟本案有關的人都不得搭乘它離開這座島，搭別的船也一樣不可以，在目前的情形之下。」

那位英國人的臉立刻漲紅起來。「你憑什麼把我留在這裡？」

「憑你是本案重要人證，」陳查禮答道：「逼不得已的話，我會聲請拘票。」

「我至少可以回飯店住吧。」堅尼斯問道。

「當我說可以的時候。」陳查禮有禮貌的說。「現在，我希望你為自己找張舒服的椅子。」

堅尼斯瞪了他一眼，退到後面去。門鈴響了，耶索到門口引進了兩個人，其中一位是個高高瘦瘦的美國人，胸口戴著副治安官的警徽；另一位日本人個子矮矮的，看上去有點緊張。

「喔，驗屍官，」陳查禮跟副治安官握了握手，此人也兼任驗屍官。「還有你鹿島。鹿島，你還是跟平常一樣，一遇到工作就火速前往。我還以為你是駕著馬車趕來這裡的咧，這樣說不過分吧？」

副治安官說話了。「局裡面派他去找我，最後總算被他找著。這件案子現場在哪裡，老陳？」

「再等一下我帶你去。」陳查禮說。

「我或許可以搜索一下房子。」鹿島提議道。

陳查禮很遺憾的看著他。「看來今晚局裡頭的人手非常不夠，」他說。「不了，鹿島先生，請你不要搜這幢房子，至少等人家告訴你要搜什麼，你再去搜。」他轉向副治安官。「請跟我來……」

黛安娜．狄克森這時進到客廳裡來。她穿了一件白色晚禮服，她之所以遲遲沒有出現，從她臉上精緻的妝便足以說明。陳查禮頗感興趣的看著她。

「現在來的這位我怎麼沒聽過！」他說。

「你到底是……」黛安娜瞪著他說。

「不用緊張，」陳查禮笑道：「我是檀香山警察局的陳督察，妳現在人在夏威夷。」

「噢，我懂了。」她應道。

「請問貴姓大名。」

她說了。

「妳是這裡的客人吧？」

「是的，費恩小姐很好客，邀我到這裡來。你知道，我才剛跟她從南太平洋來到這裡，我在她最近這齣電影裡參與演出。」

「原來是位女星，」陳查禮點點頭：「人不只漂亮，知名度又高，難怪我被嚇得不知所措。話雖如此，我還是要鎮靜下來請教一下，妳今晚做了些什麼？」

「噢，我在游泳啊！」她說。

「妳最後一次看見費恩小姐是什麼時候？」

「我上樓去換泳裝的時間不大清楚。當時布萊蕭先生剛來，我、他還有茱莉小姐一起上樓換泳裝。當我上去的時候，費恩小姐正站在玄關那裡，前門有人正在按門鈴。」

「於是妳下了樓，和這兩位年輕朋友去玩水？」

「噢，沒有——我換裝花了比較多時間，等準備好時已經八點了。我離開房間時，看了一下梳妝台上面的鐘，我不知道已經那麼晚了，所以趕緊下樓。」

「妳那時沒看到費恩小姐嗎？」

「沒有，我經過客廳時，並沒有人在這裡，於是我經由涼台出去外面的草地……」

「在八點剛過之後？」

「是的，當時一定是八點三、四分吧。我用跑的越過草坪時，看到一個男人急急忙忙的離開棚屋。」

「你看到一個男人從棚屋離開？那個人是誰？」

「不知道，我沒看到他的臉。我本以為他也是客人，所以『喂』的叫了一下，但是他並沒有回答。」

「妳能描述一下他嗎？」陳查禮問。

「臉沒辦法，這我已經說過了，當時他在陰影下。不過他穿了件外套，而且是件大衣，我覺得在這樣的夜晚那個模樣很怪，他大衣沒扣扣子，廚房窗戶有一道燈光透出去，正照在他的襯衫上，你知道，他穿著晚禮服，而在他的白襯衫上面……」突然她的臉色變得蒼白起，虛弱的往旁邊的椅子坐下去。「啊，天吶！」她驚叫道：「我怎麼完全沒想到這個！」

「妳完全沒想到什麼？」陳查禮緊接著問。

「他襯衫上面染到的東西——長長窄窄的鮮紅色污點！」她呼吸急促的說：「那……那一定是血！」

【第六章】雨中的煙火

在座的人都被狄克森小姐陳述的畫面震懾住了，一時之間沈默下來，隨後一連串的竊竊私語充滿整個客廳。陳查禮若有所思的注視著這位最新的人證，好像在詢問自己她的陳述有多少真實性。

「這就非常有趣了，」他最後說：「如此說來，在今晚這些陳述下，目前為止我尚未察覺有這樣一名男子。姑不論他白襯衫上面是否染滿了血——」

「但那是我看到的！」女星抗議道。

陳查禮聳了聳肩。「也許吧。噢，非常抱歉，我並不是質疑妳陳述的事實，只是妳也許神經緊張或是看走眼了。我這麼說請別見怪：當兇手的會笨到殺人殺得自己滿身是血，這我或許承認，但是一個人逃離犯罪現場時，卻讓大衣敞得開開的，這就很不合理了。我寧可想像他外套裹得緊緊的，隱藏住這麼血色殷紅的犯罪證據。但這又有什麼關係呢？不管怎麼說，我們都必須繼續推敲這個穿著大衣的男人，這個想法本身呈現了一幅怪異的人類畫像。在這麼炎熱的熱帶地方身穿大衣，即使裡面是晚禮服，裝扮也還是不太尋常。」他轉向茱莉。「請問一下，妳這幢房子的傭人叫什麼名字？」

「你是指耶索？」茱莉問道。

「我是指管家。妳可不可以叫他來一下，希望我這樣不會太惹人厭。」

茱莉進到走廊，陳查禮轉向副治安官。「我看我暫時無法陪你到犯罪現場了。命案發生在屋子右側草地過去的小屋裡面，這把鑰匙請拿著，你可以開始詳細調查，我在這裡訊問過管家之後會去找你們。」

「你找到兇器了嗎，老陳？」驗屍官問。

「沒有，我猜被兇手帶走了，你將會發現他是個腦筋很厲害的人。」陳查禮轉向那個日本人。「鹿島，你可以自行對這附近一帶好好觀察一下。但是你若是跟前次一樣，破壞了任何足跡，那我會立刻把你調回魚市場當駐衛警。」

驗屍官跟那個小日本走了，同時，耶索揭開簾子，跟隨茱莉進到客廳來。管家的臉色蒼白，顯得很激動的樣子。

「你叫耶索是嗎？」陳查禮問。

「是的，長官。」

「你知道我是誰嗎？」

「我想你是本地刑警隊代表，長官。」

陳查禮笑了起來。「如果能夠幫助你忍受我這種警界人士的話，耶索，那我可以跟你講，有一次我在查案子時，一位來自蘇格蘭警場的先生還表示讚許哩。」

「真的嗎，長官？」耶索回答道：「那回憶一定很讓你高興。」

「確實如此。你當費恩小姐的管家有多久了？」

「兩年了，先生。」

「你以前也待過好萊塢吧？」

「之前待了一年半。」

「一直都當管家嗎？」

「一直都當管家，長官。在為費恩小姐幫傭之前，我還當過其他人的管家。我不得不說，以前那些經驗都很不愉快。」

「因為工作太辛苦了？」

「一點也不是，長官。我拒絕跟那些雇主太過親密，主僕之間應該要有所保留才對的，但我總是會發現這樣的缺憾。之前我幫傭過的那些女士經常在我面前啼哭，還把愛人卻得不到回報的事告訴我，而男士呢，又總是把我當作失散多年的兄弟似的。有一位尤其特別，老是管我叫『老哥』，每次受到一點點鼓舞時，他就會當著客人的面擁抱我。一個人總要有自己的尊嚴是吧，長官。」

「有句話說得好，尊嚴失去就毫無地位可言，」陳查禮肯定他的話。「你發現費恩小姐跟他們不同是嗎？」

「真的是這樣，長官。她對個人身分的認識就跟我一樣。她從未以任何不妥的方式對待我。」

「這麼說，這是你碰到最愉快的僱傭關係了？」

「是的。先生，我還想附帶一提的是，今晚發生了這樣的事，我真的很傷心。」

「我能夠理解。這個，耶索，今晚來到這裡，你開門讓他們進來的男士裡面，有沒有是穿著大衣的？」

「你說穿著大衣嗎，長官？」耶索的白眉毛挑了起來。

「是的。裡頭還穿著晚禮服，這你了解的。」

「沒有，長官，」耶索肯定的回答道：「沒有人穿那麼奇怪的服裝，長官。」

陳查禮露出笑容。「請你看一下客廳裡面，除了在座的客人之外，你想起還開門迎接其他人嗎？」

「沒有，先生。」耶索一一看了那一群人，回答道。

「謝謝你。你最後一次看到費恩小姐是什麼時候？」

「七點二十分的時候，地點是這裡，我把一盒花拿來給他。之後我有聽到她講話的聲音，但是沒看到她人。」

「請你描述一下七點二十分以後，你個人做了哪些事？」陳查禮要求道。

「我在廚房及飯廳做我分內的工作，長官。也許我還可以說明一點的是，今晚我那個部門還相當的累人，我們那個中國廚子展現出異教徒最糟糕的一面——請恕我這麼說。」

「當你所謂的異教徒正忙著發明印刷術的時候，」陳查禮嚴正的說：「大不列顛的紳士還在用長桿矛槍拼死拼活哩。請恕我扯到歷史去了，你說那個廚子在找麻煩？」

「是的，長官。大家都認為他那個民族的人最有耐性，但是他卻證明自己極度缺乏。而另外，那個賣酒的……你們美國話所謂的私酒商，他也嚴重遲到了。」

「哦，你們和賣私酒的有來往？」（譯註：這部小說的時代背景為美國禁酒時期。）

「是的，先生。費恩小姐本身不喝酒，但是她很懂得如何當一位女主人，所以我們那個廚子老吳透過朋友從實驗室弄來一點酒精，還有最近剛釀的葡萄酒。」

「我真是大吃一驚！」陳查禮回答道：「結果老吳的朋友遲到了？」

「是的，先生。就像我剛剛講的，把花拿給費恩小姐之後，我就一直忙著自己的工作。八點零二分的時候……」

「你為什麼特別提到八點零二分？」

「我忍不住偷聽你向其他人問的問題，長官。當時我人在廚房——」

「你一個人嗎？」

「不，長官。老吳當然也在那裡。女傭安娜也進去廚房討一杯茶喝，這樣她才能撐到吃晚飯的時候。我提醒老吳說時間已經超過八點了，接著又談了一下跟私酒商買酒的事。我們三個待在那裡直到八點十分，老吳的朋友才很不好意思的出現了，我於是立刻用他送來的原料調酒。八點十五分我去開門讓范豪恩先生進來，從那時起我便一直進進出出這個客廳，長官，但是我從未離開這幢房子，後來我才出去海灘那裡搖開飯鈴。」

「很謝謝你這麼完整的描述，」陳查禮點頭道：「我就問到這裡。」

管家猶豫了一下。「還有一件事，長官。」

「哦，什麼事？」

「我不知道這重不重要，長官，但是一聽到這件不幸時，我就想起了一件事。我們樓上有個小書房，今天中午餐桌收拾好之後，我上去那裡想找本書帶回房間在午休時看，卻不料撞見了費恩小姐，她正在看著一張相片，哭得十分傷心，長官。」

「那是什麼人的相片？」

「那我就不知道了，長官，那是張男人的相片，費恩小姐拿著，所以我無法看清楚相片裡的人，而且我立刻就離開書房了。我只能告訴你那張相片還滿大的，而且裱在尼羅河綠的紙墊相框裡。」

陳查禮點點頭。「非常謝謝你，耶索，可以請你去把那位異教徒廚子找來這裡嗎？」

「是的，先生。」耶索應了一聲，旋即離開。

陳查禮環顧著四周的人。「訊問工作越變越長了，」他善意的說：「我看到落地窗外面有個涼台，那裡有好幾張挺不錯的藤椅，各位可以出去透透氣，只有一點：請不要離開這幢房子。」

隨後是一次室內大搬風，在一陣竊竊私語中，除了陳查禮、布萊蕭、茱莉和塔尼維諾之外，其他人都出去幽暗的涼台。命相家雙眼凝視著陳查禮。

「這樣你查出了什麼？」他想知道。

陳查禮聳了聳肩。「截至目前為止，我似乎在雨中放煙火。」

「我正是那麼想。」塔尼維諾不耐的說。

「不要灰心，」陳查禮勸解道：「改變一下態度吧！或許我可以補充一點：我們若要挖一棵樹，就要從樹根開始挖起。所有挖掘的工作都很例行化，一點都不吸引人，但是我們隨時隨地都可能碰觸到非常重要的線索。」

「但願如此。」塔尼維諾說。

「噢，你應該要相信老陳，」布萊蕭說：「他是檀香山第一流市民，每次都能抓到人犯。」

老吳嘀嘀咕咕進來客廳，陳查禮立刻用廣東話跟他對上。老吳睜著一雙睡眼看著他，回答了滿長一段。

這兩位來自世界上最古老文明的代表，交談像高音階誦經似的，講得越來越快，聲音也越來越大，老吳也似乎越來越激動。三名局外人站在一旁很有興趣的看著，那就像用你聽不懂的語言演的一齣戲，台詞觀眾雖聽不懂，卻很能感受到底下蘊涵的戲劇張力。陳查禮本來不怎麼起勁，末了卻突然獵犬聞香似的抬起頭來，走近老吳，一把抓住他的手臂。老吳講話當中有個他們聽得懂的字眼反覆出現，即所謂「賣私酒的」。

講到最後，陳查禮聳了聳肩膀，轉過身來。

「他說了什麼，老陳？」布萊蕭急切的問。

「他一無所知。」陳查禮回答道。

「那他講的賣私酒的，又是怎麼回事？」

陳查禮瞟了布萊蕭一眼。「老年人的話累積了許多智慧，聽起來很愉快，年輕人最好有耳無口。」他說。

「我受教了。」布萊蕭笑道。

陳查禮轉向茱莉。「妳剛剛提到費恩小姐的女傭，只有她還沒有問話，麻煩妳去找她來好嗎？」

茱莉點個頭走了。老吳還逗留在門邊，這時又嘰哩咕嚕講了起來，還一面比手劃腳的。陳查禮聽了半晌，隨即將他趕走。

「老吳抱怨說飯菜都準備好了，卻沒有人吃。」他笑道：「他是個大藝術家，作品沒人欣賞，這點讓他非常憤怒。」

「唔，」布萊蕭說：「我想這樣說會有點失去厚道，但是我可以帶走一點他做好的佳餚。」

陳查禮點點頭。「這個我有想到，也許再等一下吧。有何不可？把活人餓壞了，死者又得到什麼好處呢？」

茱莉回來了，女傭安娜跟在她後面，樣子黑瘦，舉止頗為優雅。

「請問貴姓大名？」陳查禮問道。

「安娜．洛德瑞克。」她回答道，語氣當中似乎有一點點倨傲。

「妳為席拉．費恩小姐工作多久了？」

「大約一年半吧，先生。」

「原來如此。在此之前，妳也為好萊塢其他人幫傭過？」

「沒有，先生。我到那裡之後便一直為費恩小姐工作，從未在影城別的人家裡幫傭過。」

「妳怎麼會到加州的？」

「我本來在英國為人幫傭，一位朋友寫信告訴我說，美國的薪水普遍比較高。」

「妳跟費恩小姐關係如何，還愉快嗎？」

「當然愉快了，先生，否則我不會留在她身邊。這樣的工作有好多可找。」

「她曾否把妳當成心腹，請妳替她做私人的事？」

「沒有，先生，她不曾這樣。這也是我喜歡她的一點。」

「妳最後一次看到她是什麼時候？」

「七點半之前不久。我看到晚餐可能會延後滿久的，正要去廚房喝杯茶，結果費恩小姐進去她的房間，而我恰好在隔壁間，她便叫我過去，說要找個別針把手上幾朵蘭花別起來。我於是去幫她找來。」

「請描述一下那枚別針的樣子。」

「那件首飾工藝相當精巧，鑲了幾顆鑽石，長度有兩吋吧，我想。我把那幾朵花別在她衣服的肩帶上。」

「她有說那些花是誰送的嗎？」陳查禮問。

「她說送花的人曾經她非常喜歡過。她似乎有點興奮。」

「然後呢？」

「她在電話旁邊坐下，房裡有一支分機，」安娜說：「她查了一下電話號碼簿，接著便撥起號碼來，先生。」

「妳有聽到她跟誰講電話嗎？」陳查禮問道。

「我沒有窺伺的習慣，先生。我立刻離開，下樓到廚房去。」

「八點零二分妳人在廚房？」

「是的，先生。我之所以記得那個時間，是因為耶索跟廚子談了很多私酒商的事。」

「那個賣私酒的八點十分來的時候，妳還在廚房？」

「是的，先生。我稍後回到自己的房間。」

「妳沒再看到費恩小姐？」

「是的，先生，我沒再看見。」

「還有一件事。」陳查禮若有所思的看著她。「請妳談一下她白天時候的樣子，是否跟平常沒什麼兩樣？」

「我沒發現什麼不尋常。」

「下午的時候，妳有沒有見到她在看一張相片，一張男人的相片？」

「下午我人不在。我們今天才剛上岸來到這裡，費恩小姐很好意，放了我幾個小時的假。」

「費恩小姐的私人物品裡面，妳是否見過一張男人的相片，是用尼羅河綠的紙墊相框裱褙的？」

「費恩小姐有個大文件夾，一向帶在身邊，裡頭有很多朋友的照片。你講的那個說不定在其中。」

「妳從未見過裡面的東西？」

「那個文件夾我從未打開過，請恕我這麼說，先生，那樣似乎太窺人隱私了。」

「妳知道那個文件夾現在在哪裡嗎？」陳查禮問。

「我想就放在她房間桌上，需要我去拿來給你嗎？」

「也許稍待一會吧。我現在想問妳的是：費恩小姐出席晚宴的場合通常戴什麼首飾，這妳清楚嗎？我是指用來別蘭花的鑽石別針以外的。」

「我想我很清楚，先生。」

「那，請跟我來，好嗎？」

他把其他人留在客廳，帶著女傭走過月光下的草坪，向涼棚走去。進去之後，安娜看到席拉·費恩，一時失去了鎮定，哽咽的低聲呼喊。

「麻煩妳在她身上檢查一下，」陳查禮對她說：「然後告訴我她所有的首飾是不是都還在。」

安娜默默點頭。驗屍官走來跟陳查禮見面。

「我檢查過了，」他說：「這是件大案子，老陳，我看最好找人來幫你。」

陳查禮露出笑容。「我已經有鹿島了，」他答道。「現在又能找到什麼人來？請你告訴局長，等我盡快處理到一個段落，就會去向他報告。」他們走到棚屋外面的露台，這時候鹿島像個函授班畢業的偵探，從棚屋角落的灌木叢裡爬出來。

「老陳，快來一下。」他喉嚨沙啞的低聲喚道。

「鹿島發現重要線索了，」陳查禮說：「一道來吧，驗屍官先生。」

他們跟著那位日本人穿過灌木叢，來到開闊的沙灘，右側標有私人產業的分界線，棚屋側面和分界線貼齊，那裡單獨開了一扇窗子。鹿島把他們帶到窗下，用手電筒照在沙地上。

「有腳印！」他煞有介事的說。

陳查禮拿過手電筒，蹲下去察看。「果然沒錯，鹿島，」他說：「這裡是有腳印，而且是奇怪的腳印，鞋子又破又舊，鞋根磨得歪向一邊，其中一隻鞋底還有個難看的洞。」他站起來，「恐怕幸運之神不會向這雙鞋子的主人微笑了。」

「這是我發現的。」鹿島得意的說。

「的確是，」陳查禮笑道：「你總算碰到線索時沒把它破壞了。你很有進步喲，鹿島，恭喜恭喜。」

他們回到席拉．費恩住宅外面的草坪。「好吧，老陳，那就看你的了，」副治安官說：「我們明天一早再見面，除非你要我留下。」

「你的工作弄完了吧，」陳查禮回答道：「或許還要回城裡做點安排才算完成。死者遺體當然要立刻送停屍間吧。」

「那當然，」副治安官答道。「那咱們回頭見，祝你好運。」

陳查禮回過頭來對著鹿島。「你真走運，可以一展長才了，」他說。

「是……是的！」鹿島急切的說。

「你到屋子裡，問他們席拉．費恩的臥房在哪，找一下——」

「我立刻就去！」鹿島大聲應道，轉身就走。

「站住！」陳查禮喝道。「鹿島，你真是個學徒偵探，走之前都不會問一下要找什麼。她的房間桌上放了一本大文件夾，有一張用尼羅河綠的紙墊相框裱褙的男人相片，我急著想要看。」

「『尼羅河』是什麼我不了解。」小日本面有難色的說。

「我就知道，但是我現在沒工夫跟你上地理課。」陳查禮歎道：「她房間裡面所有用綠色紙板裱起來的相片，你統統拿來給我，假如文件夾裡面沒有，房間裡好好搜一下。你現在可以離開了，記住，是張男人的相片，假如你拿著富士山的相片回來，我會把你踢回家裡吃老米！」

鹿島飛也似的跑過了草坪。陳查禮再次進到棚屋，安娜正站在屋子中央。

「妳都檢查過了嗎？」陳查禮問。

「是的，」她說：「用來別蘭花的別針不見了。」

「這個我曉得，」他點頭說：「她身上其他首飾都還在嗎？」

「不，」她回答道：「不完整了。」

陳查禮突然產生了興趣，注視著她。「有東西不見了？」

「是的，一枚很大的翡翠戒指，費恩小姐平常戴在右手上，她有一次告訴我說那東西值很多錢。那枚戒指不見了。」

【第七章】手錶的不在場證明

陳查禮打發女傭回屋裡去，然後在梳妝台前面的靠背椅上坐下來，這房裡的唯一光源，來自於鏡子兩側的粉紅色罩燈。他若有所思的注視著鏡子，在昏暗光線的反射下，他無意中看到那一身象牙白的絲綢洋裝。經過驗屍官的安置，席拉·費恩現在躺臥在一張長椅上。高潮起伏的一生，所有的愛恨嫉妒和光彩榮耀全在今晚結束了。人家說她是個火焰般的女人。火焰閃了閃，像根蠟燭在風中熄滅了——在來自庫拉山脈的貿易風不斷吹拂之下熄滅了。

陳查禮的小眼睛在極度專注之下半瞇起來。席拉·費恩在最不經意的時刻，目睹丹尼·馬佑遭人謀殺，三年來她一直保守著這個祕密，直到更不經意的時刻，她將祕密傾吐到塔尼維諾——無疑是一名江湖術士——的耳中；而在同一天晚上，帶來死亡的黑色駱駝來到她家的大門外跪下。

陳查禮開始仔細重溫著到目前為止調查的要點，他不是隨身攜帶筆記本的那種人，這回卻從口袋裡拿出一個信封，開始在背面寫下 長串人名。寫著寫著，他聽到背後傳來腳步聲，回過頭去，見是塔尼維諾散發著神祕氣質的瘦長身影。

命相家走進來，在陳查禮身旁的椅子坐下，眼睛注視著他，顯得很不以為然的樣子。

「既然你要我一起來調查這件案子，」他開口說：「那我得請你原諒，因為我覺得你的做法太過草率。」

陳查禮睜大了眼睛。「哦？」他說。

「我是指費恩小姐的信，」塔尼維諾接著說：「那也許能解答我們所有的問題，她也許把我們最想知道的人名寫在上面了。但是你卻沒有採取行動，將屋子裡的人全部搜身，甚至當我提出來時，你一點也不以為意，為什麼呢？」

陳查禮聳了聳肩。「這麼說，你認為我們的對手是個笨蛋嗎？像這種膽敢不顧一切奪取那封信的歹徒，得手之後他會放在自己身上，讓你搜一下就立刻人贓俱獲嗎？你錯了，兄弟，我可沒有胃口指出你錯得有多離譜，讓自己換取更大的難堪。不必了，那封信還藏在客廳裡，遲早會找到的。如果沒找到的話，那又怎樣？我有個強烈的預感，那封信並沒有提到任何重要的事情。」

「你的預感有什麼根據？」塔尼維諾問道。

「根據很多點。這麼重要的一件祕密，席拉．費恩有可能寫下來後交給傭人，要他一定要交給你嗎？不會的，她會找個適當時機親手交給你。我並不想指責你，那封信說不定並不那麼重要，我認為你寄望過高了。」

「好吧，兇手可認為很重要，這你無法否認。」

「兇手正處於非常興奮的狀況，冒了不必要的險。假如這樣的險他再多冒幾個，我們的偵查工作就到尾聲了。」

塔尼維諾做個手勢擱下這個話題。「好吧，你問了那麼多問題，可有發現什麼嗎？」

他看著陳查禮的筆記。

「並不很多。你也注意到了，我很好奇有誰在上個月為止的三年之前待在好萊塢，假設席拉·費恩早上告訴你的事情是真……」

「為什麼不是真的？一個女人會承認那樣的事來開玩笑嗎？」

「絕對不會！」陳查禮稍顯斷然的回答道。「正因為如此，我才會猜測那是真的。既是這樣，確定三年前的六月有哪些人可能涉嫌就很重要了。我這裡寫的幾個人當時都在好萊塢，因此有可能殺了丹尼·馬佑，這些人是威奇·巴洛，他太太麗泰·巴洛、范豪恩，以及……噢，對，那位管家耶索。真是遺憾，我被那件染了血的白襯衫愣住了，竟忘記向狄克森小姐問這個問題。」

「她是六年前到好萊塢的，」命相家說：「這是她來找我算命時告訴我的。」

「還有一個人，」陳查禮寫下了狄克森小姐的名字。「或許可以加上茱莉小姐，雖然她那時候還太年輕。在這些人裡面，八點零二分的時候有兩個人有證明。耶索的不在場證明相當的好，而范豪恩的是完美的，這點連我都可以發誓作證。另外發現的事雖然不很重要，但卻引起我的注意，相信也引起了你的注意，那就是亞蘭·堅尼斯先生迫不及待要在今晚離開夏威夷。不要忘了，丹尼·馬佑的謀殺案也可能跟席拉·費恩的死毫無關聯。堅尼斯非常緊張，他也許生性十分嫉妒，說不定看到別人送的蘭花別在那個女人肩上，然後……」

「但是他一樣有不在場證明。」塔尼維諾指出來道。

「啊，對呀！」陳查禮猛點頭。

他們坐著沈默了好一陣子，隨後塔尼維諾站起來，走到長椅那裡。「對了，」他忽然說：「這支錶你有沒有徹底檢查過？」

「非常抱歉，」陳查禮站起來走過去，「你提醒我疏忽掉這個最基本工作了。」塔尼維諾彎下腰去，但被陳查禮阻止。「我立刻把它解下來檢查，雖然我還不太了解你的意思。」

他從口袋拿出一條手帕，張開來放在左手，右手把席拉·費恩手腕上窄小的黑色錶帶解下來，拿起那個昂貴的手錶，放在手帕上面。他走回梳妝台，在其中一個小罩燈下檢視著那隻手錶。

「唉，我今晚似乎腦袋鈍鈍的，」他歎了一口氣說：「我還是不太明白。錶面破了，指針停止走動，正好停在八點零二分。」

「讓我來好了，」塔尼維諾說：「我比較清楚。」他連手帕帶錶一起拿過去，手指頭隔著手帕轉動手錶的發條轉鈕，經他一碰，手錶的分針立刻走動起來。

命相家剎那露出了勝利的眼神。「哇，」他嚷道：「我根本不敢奢望！這應該感謝兇手，他犯了個小小的錯誤。手錶的轉鈕被他拉起來將時間改了，但是倉促之間卻忘了按回去。不用我說，你也知道是什麼意思吧？」

陳查禮致上讚佩的眼神。「你真是第一流的偵探，更加印證了我今天早上的說法。我當然明白其中的意思，我會永遠感激你的。」

塔尼維諾將手錶放在梳妝台的玻璃墊上。「陳督察，我想有件事情我們可以確定，」他說：「無論命案發生的時刻為何，肯定都不會在八點零二分。我們碰到的對手相當聰明，當他殺了席拉．費恩之後，解下了她的手錶，把時間往前，或是往後調到八點零二分，然後用力砸那隻錶，好像是發生過打鬥的樣子。」命相家的眼睛一亮，指著梳妝台一角，「那就是玻璃墊為什麼會有裂痕的原因，他將錶砸這個角，直到錶不會走為止。」

陳查禮立刻在地板上察看。「桌子下面並沒有玻璃碎屑。」他說。

「噢，桌底下不會有的，」塔尼維諾接著說：「玻璃碎屑當然會在費恩小姐倒下來的地方找到。為什麼呢？因為這個不知名的兇手用手帕將錶解下來，就像你做的一樣；

他將錶包在手帕裡往桌上砸，得到那些玻璃碎屑，然後原封不動放在他要它們出現的地方。他是個聰明人，陳督察。」

陳查禮點點頭，露出非常懊惱的樣子。「你比他還要聰明。我對自己的愚蠢厭惡到幾乎想辭職不幹了，塔尼維諾先生，我的職務應該由你取代才對，因為在這個案子裡頭你才是聰明的偵探。」

塔尼維諾訝異的看著他。「你真的這樣想嗎？恐怕你太誇張了吧，這中間的道理真的很簡單，我發現我們這些人有不在場證明的太多了，而要更改手錶上的時間又很簡單，關鍵就在這裡：兇手不是把時間調到做案之前，就是把時間稍微調後，因為在那之前他已經有了不在場證明，或是稍後他馬上就能取得不在場證明。問題是，一個人興奮過度總是顧此失彼的，這傢伙在離開前便忘了把手錶的轉軸按下去。」

陳查禮歎了一口氣。「我真的很感激你，但又十分震驚。現在所有的不在場證明都毀了，範圍大得跟一望無際的大草原一樣。范豪恩的不在場證明完了，馬提諾和堅尼斯的也一樣，還有，非常抱歉，塔尼維諾先生，你把自己的不在場證明也毀了。」

命相家仰頭笑了起來，「我也需要不在場證明嗎？」

「也許不用吧，」陳查禮笑道：「但是當一棵樹倒下來時，樹下的遮蔽處就沒有了。誰又料得到呢？到時候說不定連你也會後悔失去了遮蔽處。」

「說不定我還有另一棵樹。」塔尼維諾說。

「果真如此，那就恭喜你了。」陳查禮環顧了一下四周。「我現在必須把這個可憐的女人移到屋裡去，鎖上這座棚屋，等明天一早讓指紋鑑識人員來這裡檢查。你會發現我們夏威夷人的行動並不快速，這都要拜可愛的氣候所賜。」陳查禮把錶放進梳妝台抽屜，和塔尼維諾走到外面，再度將門鎖上。「我們回客廳裡去，看看能找到什麼，可能你還會有什麼重要的發現也說不定。我今晚很幸運，沒有你真不知道該怎麼辦。」

草坪上散置著幾張椅子，大部分的客人都在那裡。他們在客廳見到茱莉和吉姆・布萊蕭，兩人並肩坐在一起。茱莉顯然才剛哭過，布萊蕭扮演安慰者的角色。陳查禮把棚屋鑰匙交給茱莉，婉言交代她必須做的一件事情。她和布萊蕭找傭人幫忙去了。

他們走後，陳查禮思前想後的在偌大的客廳走來走去。他檢查過種植花草的盆栽，周圍的幾本書都打開來翻一翻。

「對了，」塔尼維諾說：「你檢查過費恩小姐的臥室了嗎？」

「還沒有，」陳查禮回答道。「要做的事那麼多，卻只有你跟我在忙。我叫鹿島去辦一件事，他是我們的調查員，等他把事情辦好回來想必是一、兩個禮拜後了。至於我……」他走在一張地毯上，停了下來。「至於我……」他又講了一遍，腳上的低跟皮鞋來回搓著地毯的某處。「至於我，」他講了第三遍，「在這裡有很多不錯的買賣要做。」

他蹲下來，掀開地毯，只見光滑的地板上躺著早先從他手上奪走的那個信封，信封缺了一角，但其餘部分沒被動過。

「幸好費恩小姐喜歡用這種比較厚的信紙，」陳查禮說。他撿起了信封。「這一次啊，我恐怕不能向那位不知名朋友的創舉道賀了，倒是這玩意兒被他注意到時，他行動起來十分迅速，這我必須記住。」

塔尼維諾走上前來，他那黑眼睛亮了起來。「天吶，是席拉的信。她是寫給我的，對吧？」

「再次提醒你，這裡由警方接管了。」陳查禮說。

「之前便由警方接管了。」塔尼維諾答道。

「噢，沒錯。不過歷史可不會重演。」陳查禮抽出信封裡的信紙，閱讀起來，隨後他聳了聳肩，把信交給命相家。「我早料到了！」他說。

塔尼維諾低頭看著那些大而潦草的字，寫信者對待信紙一如其他事物，毫不吝惜。

他對信中的內容皺起眉來。

「親愛的塔尼維諾：

請你把今天早上我講的話忘掉，我當時一定是瘋了——真的瘋了。我想要把這件事情忘掉，你也必須如此！噢，塔尼維諾，請答應我，把它忘掉，就當我從未說過。可憐的亞蘭，我今晚將會拒絕他，那會讓我心碎，但我還是會這麼做的。我將繼續一個人走下去，也許到最後會找到一點小小的幸福，那是我多麼渴望得到的東西啊！

你永遠的朋友 席拉・費恩」

「可憐的席拉！」命相家站立了半晌，眼睛一直注視著那封信。「她沒有勇氣做它，我早該知道的。信裡頭寫得那麼可憐，我不到最後我還會堅持要如此。」他恨恨的將信揉成一團。「殺死丹尼・馬佑的兇手安全，她不想說出兇手，兇手卻不顧一切殺了她。本來她人應該在這裡的，現在卻死了。老天吶，我拼掉最後一口氣也要抓到兇手！」

陳查禮露出了笑容。「我的企圖心跟你一樣，不過相信事成的時候不至於把我的命也休了。」他那位日本助手偷偷進到客廳裡來了。「喔，鹿島，你在樓上度假還愉快嗎？」

「我找個半死，但還是找到了，」鹿島得意的說：「東西藏在盆栽罐子裡。」

陳查禮伸出手來卻吃了一驚，鹿島交給他的並不是他所期待的相片，而是一把撕碎了的光面相紙和綠色紙板。有人把這張裱過的相片撕碎了，還企圖把碎片藏起來。

「咱們這下得到了什麼？」陳查禮說。他不解的看著碎片，和塔尼維諾互望了一眼。「這就需要好好推敲了。有人不希望我見到席拉・費恩今天下午為之傷心淚下的相片，為什麼呢？你要她背叛的就是相片裡的人嗎？」

「有可能！」塔尼維諾同意道。

「現在方向明朗了，」陳查禮說：「我必須看看這張相片，因此要很有耐心的把這些碎片重拼起來。」他把一張小桌子拉到靠馬路的窗戶前面。

「我去調查屋外。」鹿島說。

「那樣最穩當了，」陳查禮答道：「你盡量去查吧。」

日本人出去了。

陳查禮拿掉桌布，坐下來開始在光滑的桌面上拼那張相片。他心裡想，這工作將十分耗時而且吃力。「拼圖遊戲我最不會玩了，」他抱怨道：「假如我女兒蘿絲現在在旁邊該有多好，她對這個最拿手了。」

才拼沒幾張涼台的門便被打開，一干客人進到客廳裡來。威奇·巴洛帶頭，跟在後面的依次是范豪恩、馬提諾、堅尼斯和麗泰·巴洛。黛安娜·狄克森也進來了，她似乎超然於那群人，因為那些人頗有一種代表團的味道。

分明是個代表團。巴洛開口了，用那頤指氣使的口吻。

「看著我，陳督察，我們討論過了，你根本沒有把我們留下來的理由。我們都被問過問題，也把知道的事都告訴了你，現在我們想要走了。」

陳查禮擱下拼湊中的照片站了起來，禮貌的行了個禮。

「我知道你們的不耐煩不無理由。」他說。

「那你是肯讓我們走了？」巴洛問。

「我要非常遺憾的說，我不肯，」陳查禮答道：「很不幸的，新的案情像新年放的鞭炮不斷的炸開來，我還有一些事情要跟你們談談。」

「胡扯！」巴洛發怒道：「你這樣搞，我會把你的警徽拔下來！」

陳查禮用惱怒的笑容回報他。「那是有可能，明天吧。但是今晚，這件案子由我接管，而我要說的是——你得留在這裡，直到我讓你走，你才可以走。」

堅尼斯擠到前面來。「我在美國本土有很重要的生意要談，預定在午夜坐船離開這裡，而現在都十點多了。我警告你，如果你要把我留住，你得動員所有的警察。」

「那也辦得到！」陳查禮不慍不火的答道。

「天吶！」這位英國人無助的看著威奇．巴洛，「這到底是個什麼地方？他們為什麼不派個白人過來？」

陳查禮眼中突然露出罕見的光芒。「想要過河的人，最好別激怒河中的鱷魚。」他冷冷的說。

「你這話什麼意思？」堅尼斯問。

「我的意思是，你還不能高枕無憂的渡河。」

「你他媽的明知道我有不在場證明。」英國人盛怒的嚷道。

陳查禮從頭到腳審視著他。「現在可不那麼肯定了。」他平靜的說。

「你說你已經鎖定案發的時間是……」

「糟糕的是，」陳查禮打斷他的話說：「我們這輩子總會犯下許許多多過錯，而我呢，就是犯了錯的笨蛋。堅尼斯先生，你的不在場證明就像是氣泡，被針戳破了。」

「什麼！」堅尼斯驚叫道。

范豪恩和馬提諾都瞬間產生了興趣。

「你給我退回去，冷靜下來吧！」陳查禮接著說：「還有聽我的勸，別再講什麼不在場證明了，你已經講太多了。」

堅尼斯整個人呆若木雞，幾乎全依了陳查禮的吩咐。陳查禮轉向麗泰．巴洛。

「夫人，我感到非常抱歉，留妳下來是萬不得已的。我忽然想到晚餐老早準備好了，拖了那麼久，飯菜恐怕都涼了，不過我是否可以提議……」

「噢，我真的沒什麼胃口！」麗泰告訴他說。

「是的，這整件事情太駭人了，」陳查禮點點頭：「發生這麼殘酷事件的地方的確不適合用餐。」茱莉和布萊蕭進來客廳。「但我還是要敦促你們進到飯廳坐下來，至少喝杯咖啡吧，那樣可以紓解緊張的情緒，讓等待的時刻好過一點。如你們所知，喝咖啡可以提神醒腦。」

「這主意不錯！」杭特立．范豪恩說。

「茱莉小姐……」陳查禮暗示道。

茱莉露出無力的笑容。「噢，當然沒有問題，我去叫耶索準備一下。非常抱歉，我竟忘了我們今晚有客人。」

她轉身離開。陳查禮回到小桌子，拼圖遊戲還沒有完成。就在這時，面對馬路的一扇落地窗突然打開，貿易風宛如小型颶風的灌進客廳裡來，煞時滿屋子充滿了碎片，活像是明尼蘇達大風雪中的雪花，漫天飛舞。

鹿島探頭進來。「噓，」他喚道：「老陳！」

「幹得好，鹿島！」陳查禮咬牙切齒的說：「現在又怎麼啦？」

「我發現窗戶沒扣上。」日本人得意的說，隨即把頭縮了回去，帶上落地窗。

陳查禮強掩心中的憤恨，起身到客廳的各個角落回收碎片，塔尼維諾和其他幾名客人立即上前幫忙，一堆小紙片再度回到他手中。他四處再找了找，沒看到其他紙片了。

他又回到桌上，努力奮鬥了片刻，之後聳了聳肩，站立起來。

「有什麼困難嗎？」塔尼維諾問道。

陳查禮看著他。「沒有用了，現有的碎片不及先前的一半。」他一面凝視那些一臉無辜的人，一面在心中想著得搜索每一個人，但是看到巴洛時，忽然想到此舉會惹來熾烈的爭論，而他自己又是生性和平的人，不行，他必須換個方式來達到目的。他歎了一口氣，把紙片收進口袋，鹿島這時又跑進來。陳查禮看著這位鬥志昂揚的同伴，心中的憐憫多過了憤怒。

「局裡頭派你過來的時候，其他警探都不見了對吧！」他說。

門鈴響了，聲音長長的，十分刺耳，耶索遠在廚房裡邊，吉姆・布萊蕭遂前去應門，客廳裡的眾人聽到玄關傳來一陣又急又快的問答，隨後一名男子走了進來。來人四十幾歲左右，相貌英俊，兩鬢灰白，舉止頗有架勢，眼神銳利，臉上還留著上台表演的濃妝。他停下來，看了四周一下。

「各位晚安，」他說：「我是鮑伯・懷菲，是席拉・費恩小姐的前夫。不久前有人打電話告訴我這件駭人的消息，我演完最後的一幕便立刻趕來這裡，連妝都來不及卸，戲服都來不及換，外表很不體面，務請大家不要介意。」

「我幫你拿大衣好嗎？」吉姆．布萊蕭問。

「非常感謝。」他走向簾幔的地方，把外套交給吉姆，回到客廳中央時，黛安娜．狄克森忽然發出一聲尖叫，手指著鮑伯．懷菲的胸前。

他的白色上衣上斜披著大紅色的榮譽勳章授帶。懷菲愣了一下，低頭看著自己。

「噢，是這個，」他說：「剛才講過，我戲服沒換就來了。你們知道嗎，我這個星期剛好飾演法國大使。」

【第八章】海濱逐客的鞋子

在接下來的一段沈默裡，陳查禮十分嚴肅的注視這位英俊的演員，他在不經意中演出了舞台生涯以來最出色的出場亮相。演員用相同冷靜的表情回望過來。依然沒人說話，懷菲開始了解客廳裡每一雙眼睛都在盯著他，雖然他已習慣台下的品頭論足，但在這種情況下仍然有些狼狽。他不安的動了一下，想講句話打破沈寂。

「席拉究竟怎麼回事？我講過，我盡快趕來這裡，雖然我很多年沒看到她了。」

「總共多少年了？」陳查禮立刻接口說。

懷菲不在意的看向陳查禮。「抱歉，」他說：「我不太明白你在這裡的地位……」

陳查禮冷靜的把西裝左側掀開，露出胸前的警徽。這是個演員能夠認同的動作——

談公事，別廢話。

「這裡歸我管，」陳查禮說：「你說你是席拉·費恩小姐的前夫，已經很多年沒見到她了。一共是幾年？」

懷菲想了一下。「那是九年前的四月，我們分開了。我們本來都在紐約表演，費恩小姐在新阿姆斯特丹演一齣齊格飛的歌舞劇，而我在亞斯都演一齣推理劇。有一天她回家告訴我說，她有個好機會要到好萊塢演一部電影——她對那個主意那麼興奮，那麼熱衷，我不忍心反對。到了第二個禮拜，一個四月的傍晚，我在中央車站向她說再見，心中在想她還會愛我多久。結果證實並沒有多久，同一年她就到雷諾辦離婚，我想那對她來說並沒有什麼痛苦。但對我而言卻不是如此，雖然那晚在中央車站我便預感這件事遲早會降臨，但直覺告訴我，那將是我看到她的最後一次。」

「費恩小姐待在好萊塢的那幾年，你想必去過洛杉磯吧？」陳查禮問道。

「噢，那當然有。但是我們從未見過面。」

「三年前的六月，你記不記得曾經在洛杉磯演出過？」

陳查禮察覺懷菲的眼神裡好像出現了什麼表情。那會是個看出端倪的表情嗎？

「不，我沒有。」懷菲斷然說。

「你相當的肯定。」陳查禮評論說。

「正是，沒錯，」懷菲回答道：「三年前我巡迴演出的劇團並沒有到西海岸去。」

「這件事很容易查證。」警探慢條斯理的提醒他。

「那當然，」懷菲同意道：「你去查吧。」

「這麼說來，」陳查禮接著說：「從九年前在紐約車站一別後，你再沒見過席拉・費恩？」

「是的。」

「你今天也沒有在檀香山見過她？」

「沒有。」

「或者說今晚也沒有？」

停頓了一下。「沒有。」

茱莉走進來了。「咖啡已經好了，」她宣布道：「請大家到飯廳裡來。」

「我緊急附議。」陳查禮接著說。

大夥兒不太情願的魚貫而出，一面走還一面斷言說他們什麼也吃不下，發生這種事還能夠吃得下實在太過分了，但如果是咖啡的話——他們的聲音在布簾後面漸去漸遠。客人當中只有塔尼維諾尚逡巡不去。

「你也去吧，塔尼維諾先生，」陳查禮說：「讓小小的興奮劑提神醒腦一下，我還要借重於你呢。」

塔尼維諾點了個頭。「我只去一下！」他回答道，隨即離開客廳。

陳查禮轉向鹿島。「至於你，我建議你到涼台找張椅子坐下，好好反省一下過錯。剛剛你就像個魔術箱裡的小丑，突然露出頭來，那麼珍貴的證物一下子全被風吹走了。」

「我很抱歉！」鹿島低聲的說。

「要抱歉到涼台去抱歉吧，」陳查禮建議，隨即趕他出去，將落地窗關上。他轉身回到鮑伯．懷菲前面。「很高興只有我們兩個人，」他開口道：「你也許沒有想到，涉及這件案子的人裡面，你是最有趣的一位。」

「哦？」演員在一張椅子上落坐，那一身大使的服裝相當氣派，而他的態度也從容不迫，一副坦蕩蕩的樣子。

「真的是很有趣，」陳查禮接著說：「我眼睛看著你，心裡頭問著自己說：他為什麼要說謊？」

懷菲作勢要站起來。「什麼!你這話什麼意思?」

陳查禮聳一聳肩。「老兄啊，你隱瞞有什麼用?當你到棚屋那裡去跟前妻見面時，怎麼會那麼不小心，胸前還披著那麼醒目的大紅綵帶。如果讓一個容易興奮的小姐看到，還誤以為是鮮血哩。老實說，這種事就真的發生了。」

「噢，」懷菲蹙額道：「原來如此。」

「態度改一下，講實話吧!」陳查禮委婉的說。

演員枯坐著雙手抱頭，最後才抬起頭來。

「我很樂意，」他答道：「雖然實際情形有點……不太尋常。我在紐約中央車站跟席拉．費恩一別之後就沒再見到她，直到今天晚上。今早我聽說她到這裡來了，當時真是嚇一跳。你並不認識費恩小姐吧，呃，你是……」

「我是陳督察，」陳查禮告訴他說：「我不認識她，我尚沒有這個榮幸。」

「那的確是個，呃，榮幸。」懷菲苦笑道。「她是個很特別的女孩子，充滿生命力。我從前非常喜歡她，後來一直沒能超脫出來，自從席拉離開之後，其他女人從未對我產生過意義。我無法擁有她，這我並不怪她，也沒有其他男人能擁有她多久，她需要浪漫、刺激。唉，我剛才說過，我今天早上得知她來到這裡，這消息讓我很興奮，就像經歷九年的沈默之後再度聽到她的聲音。我送了花給她，還附上了一句話——致上真誠的愛，來自一個妳已遺忘的人。我說過她是個急性子的人嗎？輕率、不分青紅皂白、突如其來，而且克制不了。我的花才剛送來這幢屋子，她就立刻打電話給我。她找到我時，我人在戲院已經化好妝，準備上台表演。她在電話中說：『鮑伯，你一定要立刻過來我這裡。一定要來。我非常急著想要見你。我在這裡等你。』

他看了陳查禮一眼，聳一聳肩。「如果是別的女人，我一定會回答說：『等我演完戲再說吧。』但是對於席拉我就不能這樣回答。我說：『我馬上就來。』每當席拉開口時，我總是這樣回答。」

「那個主意有點瘋狂，但並不是不可能。我提早到達戲院，還有四十五分鐘才輪到我上台，而且我有車可以開來這裡，假如快的話，來回各需十五分鐘。所以七點半的時候，我進去我一樓更衣室，將門內鎖，然後從窗戶翻到戲院旁邊的巷子。

「席拉向我提到那個棚屋，她說她請了一些人來吃晚飯，但是我可不想碰到任何一位客人——你知道，我化了這樣的妝，以及這身戲服。反正不管怎樣，席拉想要單獨跟我見面。大約七點四十五分的時候我來到這裡，跟席拉在草坪那裡碰到，然後一起進去棚屋。她用一種很奇怪的表情看著我，我懷疑她還依然關心我。我對她的改變非常吃驚，我從前認識她的時候，她還很青澀、可愛，十分的快活。好萊塢對她的改變太大了。唉，這個……我們都不再年輕了，我這樣想。時間寶貴，而我們卻浪費在回憶裡頭，重溫舊夢。總之，光是回憶她便覺得很快樂。我很在意時間，不斷看著手錶。最後我說我必須走了。」

他沈默下來。「之後呢……」陳查禮催促道。

「噢，那有點怪，」懷菲接下去說：「雖然我見到她那麼久了，心裡頭還是存有電話中的印象，她說有件緊急的事要問我的意見。但是當我告訴她我要走的時候，她只是可憐兮兮的看著我，說：『鮑伯，你還是很在乎我，是嗎？』那時她站得很靠近，我於是把她摟進懷裡，失去控制的說：『我很愛妳！』然後——這個我用不著描述。我擁有了那一刻，誰都無法將它奪去。許多快樂的往事又重上心頭，然而我心中對於席拉的愛，還有那支該死的錶不斷滴滴答答在我腦中響起，把我撕裂成了兩個人。我急忙告訴她戲一演完我就回來，她待在這裡的時候我每天都會來看她，我們可以一起到海裡游泳，我甚至有個瘋狂的念頭，以為自己說不定可以贏回她的芳心，我也許辦得到——可是現在，現在……」他的聲音破掉了。「可憐的席拉！可憐的女孩！」

陳查禮神情嚴肅的點點頭。「俗話說得好，活得太耀眼的人會招惹命運之神的側目。」

「我相信從來沒有人像席拉活得那麼耀眼，」懷菲說道，他目光灼灼的看了陳查禮一眼。「陳督察，你一定不能讓我失望，你一定要抓到那個可惡的人！」

「這正是我的目標！」陳查禮向他保證道。「後來你立刻就離開了嗎？」

「是的，我留下她在原處站著，站在那裡笑著，人活得好好的，一面笑還一面哭。我用跑的離開了那座棚屋。」

「當時是幾點？」

「這個我知道得可清楚了，當時是八點零四分。我衝到車道，找到停在房子前面的汽車，火速開回城裡。當我從窗子爬回更衣室時，那些人正像瘋子似的猛敲著我的門。

我把門打開，解釋說我睡著了，然後跟舞台經理一起走到舞台側翼。我遲到了五分鐘，舞台經理給我看他的錶：八點二十分，但是情形並不嚴重，我上台演我的角色，結果第一幕才剛演完，一位年輕人便打電話來告訴我這個不幸的消息。」

他站了起來。「陳督察，我要講的就是這些。我今晚來這裡對我來說也許有點尷尬，但是我並不後悔。我又見到了席拉，把她抱在懷裡，光是為了這個，你要我付出多少代價我都願意。」

陳查禮搖搖頭。「目前的話，代價是不必。我要你暫時留在這裡，稍後也許會出現其他狀況。」

「這沒有問題。」懷菲點點頭。

門鈴響了，陳查禮親自去開門。

夜色裡站著一位肌肉結實、皮膚黝黑的男子，身穿檀香山警察局的卡其制服。

「喔，是你，史賓塞，」他說：「你來得太好了。」

那名警察走進玄關，背後還拉著一個傢伙，那人除了會在熱帶地區海濱出現之外，其他地方都不可能。

「我在卡拉卡華大道上將這傢伙逮住，」那警察說：「我想你也許想要見他，他對今晚的所作所為交代得不大清楚。」

他口中的那名男子掙脫開來，走到陳查禮面前。「我相信來這裡吃晚飯還不太晚。」他說。他看了一下玄關口，好像被什麼古老的記憶觸及似的，又摘下了頭上的破草帽。「我的司機真笨，居然迷路了。」

他一副快活的模樣，洋洋得意的看著自己身上的穿著。除了帽子拿在那隻滿是雀斑的細瘦手上之外，他身上穿的包括一條髒兮兮的白帆布褲，一件領口敞開的藍色恤衫，一件原本酒紅色的破天鵝絨外套，以及一雙殘破的皮鞋，破洞處還可看見白裸的皮膚。

來自飯廳嗡嗡然的談話聲止息了，那幫人顯然豎起耳朵在聽，陳查禮趕緊掀開通往客廳的布簾子。「請進來吧！」他說。他們進到客廳，看到懷菲一個人在等著。一時之間，穿著天鵝絨外套的男子注視起懷菲來，他約有一個月沒刮鬍子了，從黃鬍子中間緩緩的露出了笑容。

「好啦，」陳查禮說：「你是什麼人？住在什麼地方？」

男子聳了聳肩。「我大概叫史密斯吧！」他答道。

「也許叫瓊斯呢！」陳查禮道。

「那只是品味的問題。我本身比較喜歡史密斯這個名字。」

「住在哪裡？」

史密斯先生遲疑了一下。「嚴格說來，長官，我恐怕是住在海邊。」

陳查禮露出了笑容。「喔，你是古老傳統的支持者，威基基海灘豈能缺少海邊逐浪者？」他走到通往涼台的落地窗旁邊，叫了一下毘島。「你來為這位老兄搜一下身。」他吩咐道。

「那沒問題，」海濱逐客同意道：「你們要是搜到任何像是錢的東西，看在老天的份上，一定要立刻告訴我。」

鹿島搜出來的不多——一條小繩子，一根梳了，一把生銹的折疊小刀，一個粗看像硬幣的東西、卻原來是個獎牌。陳查禮拿起獎牌細看了一下。

「登堡銅牌，季軍，風景油畫，」他唸道：「賓州藝術學院。」他質疑的注視著史密斯。

海濱逐客聳了聳肩。「沒錯，」他說：「看來我必須全部招認了，我是個畫家。那個並沒有什麼了不起，只是第三名而已。第一名獎牌是純金的，假如我獲得的是那個，最近也許就用得上，只可惜不是。」他又走近了點。「若是這樣問不算過分的話——你們為什麼平白無故干涉我私人的事？一個人在這個城市忙自己的事，就非得要被一個胖警察抓起來，並且被一個瘦警察搜身嗎？」

「很抱歉讓你不便，史密斯先生，」陳查禮客氣的回答道。「不過請你告訴我，你今晚有沒有到海邊這裡來？」

「沒有，我人在市區裡走著——理由沒必要講。當我走到卡拉卡華大道時，這個條子就……」

「你去市區的哪裡？」

「亞拉公園。」

「跟人講過話嗎？」

「講過。對象並沒有刻意去找，但是的確有跟人講過話。」

「今晚沒有來海灘這裡嗎？」陳查禮注視著此人的腳。「鹿島，請你跟史賓塞兩個人陪這位先生，到你發現腳印的棚屋窗戶底下，好好比對一下。」

「是的！」日本人熱情的應道。他和另一名警察帶著那位海濱逐客走出去。

陳查禮回到懷菲身上。「真是漫長而又費力的工作，」他自言自語道：「但是人若不工作的話，那會變成什麼？變成另一位史密斯先生吧。喔，你儘管坐下來好嗎？」

其他客人從飯廳回來了，陳查禮同樣要他們找位子坐，大部分人不情願的照辦了。亞蘭．堅尼斯看了一下手錶——十一點整，他看向陳查禮，陳查禮假裝不知道的看向另一邊。

塔尼維諾走近陳查禮。「有進展嗎？」他低聲問道。

「訊問的範圍擴大了。」陳查禮回答道。

「我倒寧願是縮小了。」命相家應道。

兩名警察帶著海濱逐客穿越涼台回到客廳。史賓塞再度將那位仁兄緊緊扣住。

「好了，老陳，」穿警察制服的說：「窗戶底下的腳印，檀香山只有一雙鞋子踩得出來。」他指著海濱逐客腳上的破鞋。「就是這雙！」他補充說。

史密斯低頭看著自己的鞋子，古靈精怪的微笑著。「這雙鞋很破，是不是？」他問。「但你知道，夏威夷似乎不怎麼欣賞藝術。假如你注意到他們買來掛在客廳裡的畫，那些本地的林布蘭把木頭的紋路放到畫布上去，我也許是個第三流的畫家，但是絕不會去搞那種玩意兒。即便是為了一雙新的……」

「你過來！」陳查禮嚴厲的打斷他的話。「你剛才說謊。」

史密斯聳聳肩。「長官，你太偏袒自己人了。我為了某人的利益，只是把情節稍稍改了。」

「你為了誰的利益？」

「史密斯的利益。我發現這裡有些不大對勁，寧可置身事外。」

「你已經置身事內了。告訴我，你今晚有沒有進去棚屋裡面？」

「沒有，這我敢發誓。沒錯，我是在那個窗戶底下站了幾分鐘。」

「你幹嘛站在那裡？」

「我原打算在棚屋裡過上一夜，那是我最中意的地方……」

「從最前面開始講，」陳查禮打岔道：「這次要講真話。」

「我有三天三夜沒到海邊來了，」他老兄說。「我身上有點錢，所以到城裡去了。上次來的時候，這幢房子還是空的。今天我錢沒了，我在等一張支票，結果支票沒來。」

他頓了一下。「這裡的郵政好差，要是我能回去美國本土的話——」

「你的錢沒了！」陳查禮插嘴說。

「是的，所以我被迫回到棕櫚樹下，睡那張老臥榻。我從城裡出來，到了海邊……」

「時間是什麼時候？」

「噢，親愛的長官，你讓我臉上無光了。假如你到飯店街逛一趟，將會發現我的手錶掛在某個玻璃櫥窗裡面。我經常跑去那裡看它。」

「那沒關係。於是你到了海邊。」

「是的。你知道，這裡是大眾的海水浴場，屬於每一個人的。看到棚屋那裡有燈時，我吃了一驚，心裡想，這房子有人租走了。窗戶的簾子放了下來，不過被風吹得擺來擺去的。我聽到裡面有人在講話，一個男的跟一個女的，我開始懷疑在這裡睡大覺理不理想。」

他停了下來。陳查禮看向鮑伯·懷菲，後者猛然繃緊，傾身向前，眼睛瞪著海濱逐客，兩隻拳頭握得骨節處都發白了。

「我就站在那裡，」史密斯接著說：「窗簾擺來擺去的，於是我看到了那個男人。」

「原來如此，」陳查禮點點頭。「那男人是誰？」

「噢，那男人啊，」史密斯指著懷菲，「就是這位胸前披著大紅綵帶的仁兄。我以前從未見過這種綵帶，直到去巴黎朱里安學院唸書時，我們的大使請我去吃飯時才見到。這是真的，他跟我同鄉，是我父親的老朋友——」

「那不重要，」陳查禮打岔道：「你站在那邊，透過窗簾偷看進去。」

「你這話什麼意思？」海濱逐客大叫道：「請你不要憑穿著去判斷一個人。我才沒有偷看，假如我瞥到一眼——事實正是如此，那也是無可避免的。他們話講得很快，這個男人，跟那個女人。」

「是。同樣是無可避免，請不要誤解我的話，你或許聽到他們講的話了？」

史密斯遲疑了一下。「噢，其實呢，我是聽到了。我聽到女的對他說……」

鮑伯．懷菲啊了一聲跳上前去，將史密斯一把推開，站在陳查禮面前。他的臉色慘白，眼神卻毫不畏縮。

「別再講了，」他聲音沙啞的說：「我現在就可以讓調查結束。席拉．費恩是我殺的，我願意付出代價。」

他的話把大家都嚇了一跳，客廳頓時鴉雀無聲。陳查禮絲毫不為所動，鎮定的注視著他的臉。

「你殺了費恩小姐？」

「是的。」

「為什麼？」

「我要她回到我身邊，沒有她我活不下去。我苦苦哀求，而她聽也不聽，還嘲笑說，我沒有機會了。這是她逼我的，所以我殺了她。我不得不那麼做。」

「你用什麼殺她？」

「用一把刀子，演戲的道具。」

「刀子呢？」

「我回城裡去的時候，丟進路邊的一個沼澤地裡。」

「你能告訴我地點嗎？」

「我試試看。」

陳查禮轉過頭去。

亞蘭．堅尼斯站了起來。「陳督察，現在十一點十分了，」他嚷道：「假如我趕快的話，還能夠搭上那艘船！你現在當然不能留住我了。」

「但是我要留住你，」陳查禮回答道。「史賓塞，假如這個人敢亂動一下的話，你就把他逮捕起來。」

「你瘋了嗎！」堅尼斯大叫道：「人家都已經承認了，你還……」

「關於那個，」陳查禮說：「請你稍安勿躁。」他回過頭，懷菲正安安靜靜的在他身邊站著。「懷菲先生，你離開那座棚屋的時間是八點零四分嗎？」

「是的。」

「那時你已經殺了席拉．費恩？」

「是的。」

「你開車回到戲院，上到舞台側翼是八點二十分？」

「是的，這些都是我告訴你的。」

「舞台經理肯發誓八點二十分的時候，你人在那裡嗎？」

「當然，那當然。」

陳查禮注視著他。「但是在八點十二分的時候，席拉．費恩還活得好好的。」

「什麼！」塔尼維諾大叫一聲。

「很抱歉，我正在跟這位先生講話。懷菲先生，八點十二分的時候，有人看見席拉．費恩還活得好好的。對此你有何解釋？」

懷菲頹然坐到椅子上，雙手掩住了臉。

「我真不了解你，」陳查禮平靜的說：「你竟然要我相信是你殺了席拉．費恩，然而滿屋子的人裡面，只有你的不在場證明推翻不了。」

【第九章】關鍵的十八分鐘

沒有人講話。在屋外，吉姆．布萊蕭所謂綢緞般柔軟的波浪再次拍上沙灘，然後又退回去。而在擁擠的屋內，除了沒有火的壁爐上面一個小鬧鐘滴滴答答在響之外，什麼聲音也沒有。亞蘭．堅尼斯一副沮喪的模樣走到一張桌子旁邊，劃亮一根火柴，點燃了一根小雪茄。陳查禮走到懷菲身邊，伸手放在他的肩上。

「我很想知道，你沒有犯罪，為什麼要承認？」他說。

演員並沒有回答，也沒有抬起頭來。陳查禮轉頭對著塔尼維諾。

「這麼說，有人在八點十二分的時候，看到席拉．費恩還活著？」命相家不疾不徐的說：「你能不能告訴我，你是什麼時候知道的？」

陳查禮露出笑容。「假如你知道中國人的方言，我就不必解釋了。」他走到門邊叫了一下耶索。管家來到後，陳查禮要他立刻去找老吳過來。「塔尼維諾先生，這件事我只為你而做。」他補上一句。

「你設想的真周到，陳督察。」命相家回答道。

中國老頭慢吞吞的走進客廳，他顯然很惱怒，精心準備的一頓晚餐被一場悲劇搞砸了，現在哪有心情接受孔老夫子勸人忍耐的哲學？

陳查禮再次用廣東話跟他交談，然後轉向塔尼維諾。「我要他證實不久前訊問他時，他告訴我的話，」他解釋道。「老吳，時鐘敲八點的時候，你說你正和耶索及安娜待在廚房裡。你感到很不高興，因為晚餐可能延後，而你介紹那個賣酒的又遲遲沒有露面，讓你很沒面子。我這樣說對嗎？」

「賣酒的拖到很晚才來。」老吳點點頭。

「但是八點十分的時候，你那位搞飛機的朋友氣喘吁吁的帶著期待已久的酒出現了，當耶索正在調製甘美的毒藥時，你卻到處在找女主人。」陳查禮看著命相家。「老吳這位非編制內的傭人望眼欲穿的到處尋找，十足中國人的特色。」他回到中國老頭身上。「結果你發現席拉．費恩小姐一個人待在棚屋，為了替面子辯護，你告訴她說那位賣酒的朋友終於來了。小姐她說了什麼？」

「小姐看了一下手錶說，現在已經八點十二分，賣酒的真的來太晚了。我說晚餐早該上桌了。」

「是。然後她要你離開那裡，別拿你哥兒們的事情煩她，於是你回到廚房裡。你剛剛就是這樣告訴我的，是不是？」

「是的，長官。」

「這都是事實嗎，老吳？」

「是的，長官。我幹嘛要撒謊？」

「好吧，你可以離開了。」

「我走了，長官。」

老頭踩著拖鞋靜靜走了，陳查禮回頭面對塔尼維諾灼灼的注視。「真是有趣極了，」命相家冷冷的說：「原來我向你指出手錶的問題，只是多費唇舌而已，你那時已經知道席拉．費恩被殺的時間不是八點零二分。」

陳查禮伸手拍著塔尼維諾的臂膀，安撫道：「請別生氣。沒錯，我是知道有人在稍後的時間看到費恩小姐，但是還不能確定手錶怎樣被動了手腳。我很好奇的聽著你一步一步分析，簡直聽得入迷。等到你講完時，我豈能冒然大叫一聲『謝了』就行了？做人總要懂得禮貌吧，所以我不如表達你應該得到的讚美，讓你有個輕鬆愉快的感覺。」

「是嗎？」塔尼維諾說道，走開了去。

陳查禮走向海濱逐客，說：「史密斯先生。」

「有，長官，」史密斯應道：「我正擔心你把我忘了哩。有什麼需要我效勞的嗎？」

「你剛才講到這位披著大紅綬帶的先生和那位女士在棚屋裡交談，講到正關鍵的時候卻被打斷了，我很想聽你講下去。」

懷菲站了起來，死命瞪著那個身穿天鵝絨外套的棄民。史密斯回望著他，淺灰色的眼珠子剎那間閃過投機、狡猾的眼神。

「噢，是的，」他緩緩的說：「我被打斷了，對吧？不過我已經習慣了。當然，我正要告訴你我聽到的談話內容。嗯，其實那也沒什麼，那位先生跟你講過的內容，我並沒有什麼好補充的。」懷菲轉過身去。「他懇求那位女士回到他身邊，說他非常愛她，就這樣。但是那位女士不聽他的。我真替他感到遺憾，因為我也曾經碰到過相同的處境。我聽到那位女士說：『噢，鮑伯，那有什麼用？』而他還是不斷懇求。他不斷的看著手錶，最後說：『時間到了，我必須走了。我們晚一點再來解決這個問題。』然後我聽到門砰的一聲。」

「而那個女人獨自一個在棚屋裡面，而且活得好好的。這你肯定嗎？」

「是的，窗簾一直飄呀飄的，他離開之後我看到了那個女人，單獨一個，在屋裡走來走去。」

陳查禮不解的皺了個眉，眼睛望著鮑伯·懷菲。「懷菲先生，你不只有一個不在場證明，現在還有了第二個，我真是不了解你。」

演員聳了聳肩。「我也不了解我自己，陳督察。也許是一時情緒失控吧，我們演戲的人很容易過度戲劇化。」

「這麼說你要撤銷承認？」

「不然又能怎樣？別人已經替我撤銷了。」衣冠楚楚的演員和邋遢的海濱逐客兩人眼神來回，陳查禮並沒有忽視。「我沒有殺死席拉，那是真的。但我認為那樣可能會比較好，要是……」

「要是什麼？」

「沒什麼。」

「你認為我的調查要沒有進展會比較好，對吧？」

「噢，才不是。」

「你怕你跟前妻談到的某件事被這個人聽到了，而那件事你不願意張揚出去。」

「你的想像力真豐富，陳督察。」

「我還有個習慣，那就是挖掘人家想要隱瞞的事。你的行動到目前為止還算成功，但是你我之間的事還沒有完，懷菲先生。」

「我隨時效勞，長官。」

「謝了，但願下次你的效勞對我有更多的價值。」他看向史密斯。「至於你，雖然我不想苛責你，但是我知道你摻進了不少假話。」

海濱逐客聳了聳肩。「你又來了，以穿著來判斷一個人。」

「不是以你的穿著，而是以你的舌頭，穿著不會講話，但舌頭會。」陳查禮說。

「史賓塞先生，麻煩你帶這個人到局裡去，留下他的指紋檔案。」

「多謝關愛，」史密斯打岔道：「但願他們別砍了我的頭。」

「蓋完指紋後，」陳查禮繼續說：「你可以暫時將他放了。」

「沒問題，老陳。」史賓塞說。

「等一下，我介紹這屋裡的人給你認識。」儀式有點漫長，他煞有介事的進行完畢。「管家和廚子你也看過了，另外還有個女傭，你走之前先去看看她長什麼樣子。從局裡出來之後，你要立刻趕到第七號碼頭，『大洋號』今夜十二點要開往美國西岸，你在這裡看到的任何一個人都不能讓他搭上那艘船，這你懂嗎？」

「好的，老陳，我會料理。」史賓塞點點頭。

堅尼斯走上前去。「我想要提醒一下，我的行李在那艘船上，其中一部分還寄在貨艙裡。」

陳查禮點點頭。「幸虧你提起。史賓塞先生，麻煩你親自將頭等艙所有屬於堅尼斯先生的財物送上岸來，貨艙的東西也幫這位先生安排在舊金山碼頭代為保管，就說他有要事，會在檀香山多待幾天。堅尼斯先生，這樣你滿意嗎？」

「我他媽的才不滿意，」那名英國人埋怨道：「但看來我只能將就。」

「最多只能如此，」陳查禮點點頭。「鹿島，你陪史賓塞回城裡去，今晚你在這裡的工作結束了。你已經功成身退了，如果你再從另一扇窗子意外的鑽回來，那你將告老還鄉了。你要牢牢記住。」

實習偵探點了點頭，跟在史賓塞和海濱逐客的背後走了。鮑伯・懷菲走上前去。

「我需要留下來嗎？」他問。

陳查禮思忖的注視著他。「我想不用，等我比較空閒的時候，我們再好好談談。」

「隨時候教，陳督察。」懷菲走到簾幔處，伸手撥開。「我住在砲台街的威歐里飯店，」他補充道，「你方便就來，好嗎？晚安。」他走到玄關，史賓塞在那裡跟女傭講話，聲音清晰可聞。大門在懷菲背後關上，一秒鐘後，兩名警察和史密斯也走了。

陳查禮注視著客廳裡面那群疲倦的人。「聽我的勸，把精神提起來，」他說：「我們先給史賓塞先生多一點時間趕到碼頭，然後大家就可以離開了。在等待的時間裡，還有一、兩件事情要大家注意，先前就跟各位講過，我們在必要的時候著眼點會改變，原先我以為命案發生時間是八點零二分，而現在得進一步修正，事情是發生在八點十二分到八點半之間的十八分鐘裡面，也就是關鍵的十八分鐘。因此每一個人都要問一下自己：在這十八分鐘之內，我在幹什麼？」

他停下來，眼睛炯炯有神，渾身充滿幹勁。中國人的絕佳狀態在晚上，那是他們最喜歡的時間。然而生氣蓬勃的只有他一個人，其他人都累得垂頭喪氣的，女人臉上的妝浮了起來，看上去很不自然，也不賞心悅目，僅只遮掩了因勞累而呈現的蒼白而已。

「關鍵的那十八分鐘，」陳查禮又說了一次，「狄克森小姐、茱莉小姐和布萊蕭先生正在海裡面玩得不亦樂乎，偶爾也會到沙灘上來。巴洛太太沒事的坐在沙灘上，直到晚飯的鈴聲響起。在最後的十分鐘，巴洛先生逛到別處，誰也說不出他到了哪裡——」

「這個我可以說，」巴洛打岔道：「我進到客廳來了，管家可以證實這一點。我逛到這裡，他拿菸給我抽。」

「你抽菸的時候，他一直在你身邊？」

「沒有，他幫我點過菸之後就出去。他回來時，我還坐在原處。」

「你希望我注意這一點？」陳查禮笑道。

「我才不在乎你注不注意。」

陳查禮拿出手帕擦額頭的汗，名副其實的熱帶夜晚。

「現在我要問四位先生，你們的不在場證明突然站不住腳了。八點零二分的時候我知道他們人在哪裡，但在那之後……」

「我先來吧，」塔尼維諾說：「你看到我回去飯店大廳那對老夫婦身邊，他們是我的老朋友，從澳洲來。你走之後我們在那裡逗留了幾分鐘，然後我提議三個人一起到涼台，涼台面對的院子有很多棕櫚樹。我們在那裡坐著聊了一會兒。最後我看手錶，正好八點三十分。我把時間告訴他們，道歉說我得走了。於是三個人一起進到飯店，我趕緊去拿帽子，回大廳時正好看到你在大門邊。」

陳查禮注視著他。「你那兩位老朋友肯對此發誓作證嗎？」

「那是事實，我看不出他們為什麼不肯。」

陳查禮露出笑容。「恭喜你了，塔尼維諾先生。」

「我恭喜我自己。你也許記得我對你說過，我還有別棵大樹。」

「堅尼斯先生呢？」陳查禮轉向那位英國人。

堅尼斯絕望的聳了聳肩。「我沒有不在場證明，」他說：「在那十八分鐘裡，我獨自在海灘走著。隨便你怎麼想，我沒有來到這裡。」

「范豪恩先生，你有到這裡來吧？」陳查禮對那位電影明星說。

「沒錯，運氣真背，」范豪恩聳聳肩說：「在漫長的演藝生涯裡，我還是頭一次提前參加宴會。坦白講，這真是一個教訓。」

「耶索開門讓你進來是八點十五分？」

「大概那個時候吧。他告訴我說宴會——或不管那是什麼名堂，移到海灘去了。我出去外面草坪，看到棚屋裡有燈光，耶索告訴我那是避暑用的房子，我本來是想去那裡的。天知道但願我去了，但是我又聽到海邊那裡有人嬉笑，於是改變主意走往海邊。我在麗泰．巴洛身邊坐下來，不過這些你都知道了。」

陳查禮點點頭。「還有一位，馬提諾先生。」

導演皺起眉來。「我跟杭特立與堅尼斯先生一樣，沒什麼像樣的不在場證明，」他說：「當你推翻八點零二分的案發時間時，我跟他們的不在場證明便一起毀了。」他從西裝口袋拿出手帕來擦額頭。「堅尼斯走向海邊之後，我坐在飯店靠近海邊的一處鞦韆上。我想我應該忙著找一個完美的不在場證明才對，但是我並不像在座的塔尼維諾先生那麼聰明。」他不甚友善的看了塔尼維諾一眼。「所以我僅只是獨自坐著，那裡的風景我覺得挺不錯的，希望能拍進電影裡面——紫色的天空繁星耀眼，黃色的路燈沿著海岸線蜿蜒排開，黝黑而龐大的鑽石岬——畫面是彩色的，彩色電影很快就會有了。我在構思電影情節，編劇根本不可靠。不久我看了手錶，八點二十五分，於是回房裡洗把臉並且拿帽子。我到樓下時碰到了你和塔尼維諾，因而聽到費恩小姐遇害的消息。」

陳查禮思忖的看著這位導演，忽然他被推了開，塔尼維諾走到導演面前。

「馬提諾，你額頭上有傷口。」命相家大聲說。

那導演愣了一下，伸手朝額頭一抹，放下一看，手指頭染有一道血跡。

「我的天吶！」他說：「這是怎麼回事？」

「你最好把剛才放回口袋的手帕交給陳督察。」

「什麼手帕？」馬提諾拿出剛剛擦額頭的手帕。「噢，你說這條！」

「請交給我，」陳查禮說。他把那條白手帕展開在桌面上，拿出放大鏡檢查一番，手指頭又輕輕摸了一下，頭抬起來。

「奇怪了，馬提諾先生，」他說：「手帕布紋上沾了玻璃碎屑，怎麼回事？」

馬提諾倏的站起來，面色凝重的彎腰看著桌面。「我無法解釋，」他說：「我甚至無法解釋這條手帕為何跑到我的口袋。」

陳查禮凝視著他。「東西不是你的？」他問。

「當然不是，」導演答道：「我的西裝有兩條手帕，一條在這裡，」他指著胸口口袋，那兒露出手帕的尾端，「另一條在我長褲後面的口袋。」他拿出另外一條。「因此我當然不會用第三條。剛剛我正好伸手進西裝口袋，摸到了這一條，於是拿出來擦汗。但是我手帕從來不放在這個口袋，這條不是我的。」

「說得跟真的一樣！」塔尼維諾嗤道。

「我說大師啊，」導演說：「等到你像我一樣導過那麼多部電影之後，你就會發現，事實聽起來並不像虛構的那麼具有可能性。」他拿起桌上的手帕交給陳查禮。「對了，手帕這邊有個洗衣店的標記。」

「我看到了！」陳查禮點點頭。他注視那條手帕，在邊緣處有個微小的英文字母B，是用黑色墨水印上去的。他向威奇・巴洛望了一眼，農場主人回瞪他一眼，手伸進口袋拿出一條手帕，滿不在乎的抹了額頭一下。

【第十章】「丹尼送給席拉」

陳查禮寬大的肩膀聳了聳，轉回馬提諾身上，導演的臉色比平常紅了許多，呼吸也急促起來。

「你要不要推測一下，這東西是什麼時候放到你身上的？」陳查禮問。

馬提諾想了一下。「剛才離開飯廳的時候，」他說：「大家都擠在門口，我當時感覺口袋好像被扯了一下。」

「當時誰靠你最近？」

「不太好講。每個人都聚在那裡，這件事很嚴重，我不想用猜的。」他頓了一下，朝命相家瞟了一眼。「我倒記得塔尼維諾先生離得不遠。」

「你那是指控嗎？」塔尼維諾冷冷的問道。

「不完全是。我無法確定……」

「你最需要的就是事情能夠確定。」命相家暗示道。

馬提諾大笑起來。「你說對了，老兄。我對你沒什麼好感，這你也知道。假如凡事能如我意的話，你早就被踢出好萊塢了。」

「你沒那本事，所以私下警告那些女星抵制我。」

「私下？你這話什麼意思？我是來明的，這你很清楚。我要她們離你遠一點！」

「為什麼？」

「我不喜歡你的眼神，老兄。可憐的席拉，你今早對她講了些什麼？她又告訴了你什麼？」

「我不想跟你討論那個。所以你就坐在海邊沙灘上，是嗎？」

「喔，你別以為有不在場證明就很了不起，」馬提諾大叫道：「為什麼你剛好有那麼穩當的不在場證明？未卜先知是嗎？」

「兩位，兩位，」陳查禮阻止道：「你們再這樣爭辯下去，一點結果也沒有。看來大家的精神都快受不了了，所以我很樂意把門打開，結束調查。你們都可以走了。」

眾人紛紛湧向玄關，陳查禮在後面跟著。

「我只想補充一點，雖然明知道我的聲音讓大家受不了，」他說：「不過請記住，你們現在置身在太平洋中央的一座小島上，任何人若企圖搭船離開，我們將會立刻得知，因此受到懷疑的對待。我勸你們留下來，參觀一下美麗的風景，有關這一點布萊蕭先生隨時隨地樂意為大家介紹。」

「是的，」那位年輕人猛點頭：「那一整片生長著棕櫚樹的海岸，將會使大家忘掉眼前的煩惱。當別的地方還在天寒地凍的時候……」

「在七月的現在？」范豪恩問道。

「對呀，譬如說南極。把好萊塢擱一邊吧，請記住：夏威夷的氣候正是加州人所想的那樣。」

大門在巴洛夫婦背後關上，范豪恩、馬提諾和堅尼斯隨後出去。布萊蕭回客廳跟茱莉和黛安娜在一起，留下命相家和陳查禮待在玄關。塔尼維諾拿起他的帽子。

「陳督察，」他說：「你碰到了十分複雜的案子，我很同情你。」

「我還有你的協助哩，」陳查禮提醒他，「那讓我很安慰。」

塔尼維諾搖搖頭。「我的能力恐怕你太高估了。但不管我是否有此能力，我都會站在你這一邊。什麼時候再見到你？」

「我明早打電話給你，再好好談一談，」陳查禮答道：「也許經過今晚深入的思考，明天我們都會有新的點子。」

「我會努力提供我的想法，」塔尼維諾點個頭，出門去了。陳查禮望著闔上的大門半晌，轉身進到客廳。

「狄克森小姐，我能否再請教一下？」他說：「妳能否跟我一起上樓，幫我指出哪個人住哪個房間？在大家就寢之前，我想做一點小小的搜索。」

「可以呀，」女演員點頭道：「說到就寢，希望你先檢查一下我的房間。折騰了一整個晚上，我都快累垮了。」

她和陳查禮上樓去了。茱莉絕望的陷坐在椅子裡。

「別太難過了！」布萊蕭說。

「噢，吉姆，今晚真的很可怕，是不是？」

「是啊。想一下吧，茱莉，妳想一下。妳比誰都接近席拉・費恩，這麼可怕的事，妳難道不知道是誰幹的？」

她搖搖頭。「我想不出。當然，席拉是有對頭，任何成功的人都有，她遭人嫉妒，甚至遭人怨恨。但我做夢也想不到有人會恨她恨到這種地步。這實在太令人難以置信了，真的。」

布萊蕭在她身邊坐下。「別再想了。妳呢？妳現在打算怎麼辦？」

「噢，看來我要回去原來住的地方吧。」

「妳是哪個地方的人？妳還沒告訴我哩。」

「我本來住在芝加哥的一幢戲院宿舍，後來跟我母親到處旅行，直到她……離開了我。你知道，我的親人都在演戲，我父親也是。我母親說她老家是舊金山，雖然她很少回去，但那是她出生的地方，你知道，好多演員也是。而她……」

「她是最好的一位，是吧？」布萊蕭說。

「我想是的。我還有個祖母在那裡，七十二歲了，她偶爾還跟團出去巡迴表演，她人很好，吉姆，我想去找她，找個工作做，辦公室的工作我想我能勝任。我祖母將會很高興我搬去一起住，所有的親人只剩下我們兩個了。」

布萊蕭鼓起了勇氣。「假如沒有人想發言的話，我可不可以談一下夏威夷？我們這個地方到處都有詩歌及歡樂，本地的氣候孕育著快樂和歡笑，在太陽光的反射下，自然而然出現了彩虹。這地方沒有人中暑，看不到霜雪，檀香山把美的訊息帶給每一個心靈，至於……」

「吉姆，你到底想講……」

「至於這裡的人，大自然的溫和讓男人不得不體貼，妳將會發現……」

「我不懂你的意思，吉姆。」

「我的意思很簡單。我已經將這個地方推銷給五萬名觀光客了，現在我想推銷給妳，妳明白嗎，就當是祖母的替代品。就像妳講的，她是個大好人，我或許不及她那麼好，但是我還年輕。當然我推銷的不光是檀香山，妳知道，我也是其中之一。怎麼樣，茱莉？有一間木造小平房半隱半現在九重葛的藤蔓之間……」

「你……意思是你愛我，吉姆？」茱莉問。

「啊，天吶，我竟然忘了講這一點嗎？看來我必須把這該死的劇本重新改寫過。我當然愛妳，怎麼不呢？現在也許不是說這個的最佳時刻，但是我可不願因為住在慵懶的低緯度的緣故，就讓妳認為我有拖拖拉拉的習慣。妳太使我著迷了，在妳尚未寫信給祖母——祖母她老人家說不定又巡迴表演去了，並且搭船走掉之前，我希望妳考慮一下夏威夷……還有我，好不好呢，茱莉？」

她點點頭。「我會的，吉姆。」

「聽到妳這句話就夠了。」布萊蕭微笑道。

陳查禮靜靜的走進客廳，布萊蕭站起來。「喔，老陳，你要走了嗎？今晚我的車借給我老哥了，因此我要禮遇你那輛大名鼎鼎的小轎車。」

「非常歡迎，」陳查禮對他說：「我馬上就要走了，只是還有個小問題。」

女傭安娜匆匆走進客廳裡來。「狄克森小姐說你找我？」她問陳查禮。

陳查禮點點頭。「小事一樁。先前妳告訴我說，費恩小姐被殺後，她的手上少了一枚戒指。一枚翡翠戒指。」

「是的，先生。」

茱莉·歐尼爾俯身向前，眼睛睜得大大的，屏住了呼吸。

「妳講的是這枚戒指嗎？」陳查禮突然亮出一枚戒指，指環是白金打造的，上面鑲了綠色的美玉，在客廳明亮的燈光下顯得格外耀眼。

「是的，先生。」安娜點點頭。

陳查禮轉向茱莉。「抱歉把妳扯進來了。但還是要請妳告訴我：為什麼我會在妳梳妝台抽屜裡找到這東西？」茱莉駭得透不過氣來，吉姆．布萊蕭也吃驚的望著她。「很遺憾浮出這個問題，我很無奈，」陳查禮接著說：「但我得說，事情必須解釋清楚。」

「事情很簡單。」茱莉低聲答道。

「那當然，」陳查禮頷首道：「有多簡單呢，依妳說？」

「這個，」她遲疑了一下。「這裡只我們幾個，我就老實說吧。席拉手頭一直很拮据，不知怎的她並不把錢當一回事，老是讓錢從指縫溜走，前一刻到了手，下一刻就沒了。她從南太平洋回來，情況仍跟往常一樣，口袋裡面空空如也。大家都在欺騙她，偷她的東西——」

「大家？」陳查禮重複她講的話。「妳是指傭人？」

「有人是如此，只要一有機會。但那並不相干。席拉來到這裡很缺錢用，跟平常一樣。她盡可能向電影公司透支，可是他們不像過去那麼慷慨了。她今天來到之後把我找去，說她必須立刻用錢，於是拿給我這枚戒指，要我想辦法替她賣掉。下午我本來要就近去找珠寶商的，但卻延後了。因為這樣的事我不很在行。但是，我的確想要明早去跑一趟的，假如今晚沒發生這件事的話。這就是我為什麼剛好會有這枚戒指。」

陳查禮思考了一下。「她來到這裡之後給了妳這枚戒指，當時是幾點？」

「早上八點。」

「妳從那時起便一直保管它？」

「是啊。我放在抽屜裡面，以為比較安全。」

「妳想讓我知道的就是這些？」

「就是這些。」她幾乎要落淚了。

陳查禮轉向那名女傭。「安娜，妳可以離開了。」他說。

「好的，先生。」安娜看了茱莉一眼，隨即離開客廳。

陳查禮深深的歎了一口氣，雖然他是個夜貓族，到了此刻還是開始疲倦了。他將戒指拿到燈光底下，用放大鏡仔細檢查，發現戒指內側刻了字：「丹尼送給席拉。」這麼一來，丹尼．馬佑又回到這件案子裡了嗎？陳查禮聳了聳肩。

他一轉身，發現茱莉靜靜涕泣著，布萊蕭伸手攬住她的肩。「沒事啦，甜心，」小伙子說：「老陳相信妳的。是不是，老陳？」

陳查禮彎腰一鞠躬。「面對那麼可愛的小姐，我怎能胡亂起疑呢？茱莉小姐，妳過度擔心了，我看了很過意不去。我和布萊蕭先生馬上要走了，妳要好好休息。妳還年輕，一定睡得著，祝妳晚安。」

他掀開簾幔走了，布萊蕭對茱莉軟言相勸了幾句也跟著走了。耶索強忍著呵欠，仍然和平常一樣拘禮的送走了他們。陳查禮在台階上佇立片刻，仰望夜空，深深吸進一口空氣。

「雖然我們在裡面經歷了漫長的煎熬，」他說：「重要的是要記住，星星依然不變的閃耀，柔軟的熱帶夜色仍然跟往常一樣慢慢在移動著。還有什麼事情我沒經歷過的呢？小憩一下就像下雨天聆聽輕音樂那麼美妙。」

兩人上了車，車道上只有這輛車孤單的等待著。

「這案子相當棘手是吧，老陳？」小伙子問。

陳查禮頷首。「老覺得自己很笨，轉不出來。已經查出了那麼多事情，卻好像什麼都沒有查到。」車子沿路駛去，經過莫亞納飯店時，發現那裡很不同於平常的一片漆黑。月色下，格蘭飯店粉紅色的圍牆發出新的異彩。「你打電話給我的時候，」陳查禮說：「我正要對一條小魚動外科手術，第一口嘗起來味道美極了。唉！我跟那條小魚就緣盡於此。」

「很抱歉破壞你的晚餐。」布萊蕭回答道。

「假如你這次沒有把陳查禮這塊招牌也砸壞掉，我就很滿意了，」陳查禮對他說。「這件案子弄到最後我會變成什麼樣子呢？是穿著金光閃閃的勝利服裝？還是披著粗麻衣，渾身都是塵土？」

「我要到報社去，」小伙子說：「你知道，我在那裡有份工作。他們現在正缺人手，我是因為採訪這條新聞而得到這工作的。我現在要回那裡寫新聞稿了。我會寫說警方現在還沒有什麼概念——這樣報導對嗎？」

陳查禮的車差一點撞上人行道。「你對那份工作難道沒有更好的認識嗎？不要寫那種屁話，你要說警方已經掌握許多線索，有信心及早破案。」

「但那同樣是老掉牙的屁話，老陳。而且根據你的話來判斷，那樣的聲明並非事實。」

「不管是什麼案件，這樣的聲明很少是事實，你應該很清楚。」陳查禮提醒他。

「好吧，我會照你講的報導，看在你的面子上，老陳。對了，聽塔尼維諾口氣，他在幫你辦這件案子？」

「是……的，他想像自己是個聰明的助手。」

「他或許真的很聰明吧，但是你很渴望他的幫忙嗎？」

陳查禮不置可否的聳了聳肩，「是鳥兒在選擇大樹，而不是大樹在選擇鳥兒。」

「這個塔尼維諾是個怪鳥。我看到他的時候，心裡頭怪怪的。」他們靜靜的奔馳了一段路。「好歹有件事情是肯定的。」小伙子末了說。

「哦？」陳查禮問道：「是哪一件，請說。我匆忙之間也許忽略了。」

「我是說……茱莉跟這件命案無關。」

陳查禮在夜暗之中露齒而笑，「你讓我想起自己以前的時候。」

「怎樣？」

「年紀很輕，而且陷入愛情的泥淖。由於我現在已經是十一個孩子的父親，有時候也需要來那麼一下，發呆做做白日夢，心跳加快，記憶總是還在。」

「噢，別胡說了，」布萊蕭不以為然，「這件事我是冷眼旁觀，完全以局外人的角度。」

「那樣的話，我要建議你，立刻把夏威夷的月亮送去維修，」陳查禮說：「因為它的神奇魔力不知到哪裡去了，虧你描寫得那麼熱情。」

他在報社前面停下車，煞車聲在無人的街道上顯得十分刺耳。報社一樓只幽幽的點了一盞燈，但二樓以上卻燈火通明，忙碌得很，編輯人員正在篩選著全世界各個角落傳來的電報，歐洲、亞洲、美國本土等地輕薄短小、具傳送價值的新聞資料，紛紛湧到了太平洋中央這個正在熟睡中的小島。

吉姆．布萊蕭挪動了一下，作勢要下車，但又停住。他的眼角瞄著陳查禮。

「我現在好像還不能拿回來，是不是？」他問。

「是不行！」陳查禮肯定的回答道。

「你講什麼啊？」小伙子假裝不懂的問。

「就是你講的那個。」陳查禮笑道。

「我是指你從那個導演手上拿走的手帕。」

「我也是啊！」陳查禮親切的回答道。

「這麼說，你知道是我的？」

「我猜是的。那上面有個小型英文字母B，還有我發覺你臉上不由自主的流汗。你如此自我克制，我非常欣賞，光光用袖子擦汗就不只一次。你想告訴我手帕在口袋裡面被拿走了吧？」

「一定是那樣的。」

「在什麼時候？」

「不知道，不過我想是游泳的時候被人拿了。」

「你確定嗎？」

「嗯，看來這是唯一可能的解釋。但我卻過了很久才發現到。」

「而你在更久之後才告訴我。」

「我惱人的羞怯老毛病又跑出來了，老陳，」小伙子笑道。「我就是無法站在眾目瞅瞅之下。不管怎樣，東西你讓我看一下吧。」

陳查禮拿給他，布萊蕭就著儀表燈小心檢查著。「的確是我的。」他指著手帕上的標記。「那是我在洗衣店用的別名。如果你問我的話，我會說這一招很毒。」

陳查禮收回手帕。「我有非常好的理由把你關起來。」他說。

「想開新聞界的玩笑？」小伙子提醒他，「再好好想一想吧，老陳。我才不會殺害這麼有名的觀光客咧，那可不是我所贊成的待客之道。」他猶豫了一下。「我今晚會用到那條手帕。」

「我也會。」陳查禮回答道。

「噢，好吧，那我只好把汗滴在等一下要寫的不朽報導上。再見啦，陳督察。」

「再見，」陳查禮回答道：「還有請你在寫報導以及跟別人交談時，都不要提到那條手帕的事，否則我會找你算帳。」

「沒問題，老陳。它將成為重要的祕密，除了你、我還有洗衣店之外，沒有別的人跟這條手帕有關係。」

【第十一章】檀香山午夜時分

陳查禮將車慢慢開到教堂街底的卡拉卡華．海爾大廈——檀香山警察局本部。停好車，他登上了破舊的石階。刑事組有一盞燈亮著，他走進去，遇到了刑事組組長。

「哈囉，老陳，」組長說：「我在等你呢。我今晚開車到卡拉華去了，要不然就會跟你去海邊一起辦案。這件案子很複雜，是不是？有沒有進展？」

陳查禮無奈的搖搖頭，伸手看了一下手錶。「這案子說來話長！」他暗示道。

「不管怎樣，我還是了解一下比較好。」組長回答說，他體內並不缺少精力，月光下開車到卡拉華已經將整個人調劑好了。

陳查禮坐下來開講，組長很注意的傾聽。他先從命案現場講起，沒發現兇器，兇手想將命案發生時間設定在八點零二分，但企圖沒有成功。至於線索方面，他提到別那束蘭花的鑽石別針不見了。

「這個很重要。」組長點點頭，點燃一支雪茄。

陳查禮聳聳肩，「重要的是我們沒有找到。」接著他敘述席拉．費恩曾經出現在丹尼．馬佑謀殺案現場，據那位命相家說，今早死者將這件事告訴了他。

「很好，太好了！」組長大叫起來：「這樣你就找到做案動機了。只要她依照塔尼維諾要她做的，寫下兇手的名字……」

陳查禮非常痛恨的補述了那封信被搶的意外，組長吃驚的看著他，非常的不以為然。「我從未料到這種事會讓你遇到，從你手中搶走？」

「那封信的確失去了一段時間，」陳查禮很懊惱的回答：「後來證明那封信並不重要。」他容光煥發的講起信後來在客廳地毯底下找到，除了證實塔尼維諾所言不虛之外，別無價值。接著他講到席拉．費恩對著一幀相片痛哭流涕，而相片卻被人撕毀了。

「有人不願讓你看到它。」組長蹙眉道。

「我也是這樣推測。」陳查禮承認道。他描述鮑伯．懷菲的到來，此人顯然在這幾個鐘頭內二度造訪威基基海灘，隨後又談到那位海濱逐客。

「我們採下指紋後讓他走了，」組長插嘴道：「他連打死一隻蒼蠅都不敢。」

陳查禮點點頭。「你這樣猜測無疑是對的。」他接著報告懷菲承認人是他殺的，但是沒三兩下便被拆穿了，組長聽了顯得很疑惑。他述及馬提諾西裝口袋的那條手帕，含在手帕中的玻璃碎屑引起了爭端，而吉姆．布萊蕭最後才聲明手帕是他的，耽擱得久了點。講到這裡他的氣已經有點喘了。「目前案情就停在這裡。」他總結道。

組長帶著若有所思的笑容看著他。「老陳，自從你從美國本土回來之後，我有時會認為你對這裡並不是十分滿意，」他說：「你認為這裡太平靜了，不像那邊有大案子。光是把幾個嚇壞的賭棍追到窮巷子裡，你覺得不夠刺激，是嗎？檀香山對你來說已經不夠大了，但我猜今晚夠大了吧。」

「恐怕是太大了，大得讓我感到不安，」陳查禮坦承道：「弄到最後我會怎樣呢？要是你問我的話，我會說相當困惑。」

「我們可不能讓它絆住。」組長爽快的說。他是個聰明人，知道要靠向哪邊，也看到未來幾天他有較大的倚靠動作。他頗為讚許的看著這位手下，陳查禮一臉的睡意，有點累壞了，此刻的他，外表上一點也看不出聰明和機警。組長用記憶來安撫自己，在他印象中，陳查禮可比外表要精多了。

他想了一想。「這個塔尼維諾，老陳，他是個怎樣的人？」

陳查禮眼睛亮了起來。「噢，也許你進入問題核心了。塔尼維諾人有點晦暗，好像下著雨的晚上，但那是職業使然。他的心思靈敏，而且似乎非常熱心，想要幫我這個可憐的警察。」

「會不會太熱心了？」

陳查禮點點頭。「這我有想到。但是你想想，他舉出一對老夫婦為證，說他陪他們一直坐到命案被人發現為止。真相明天會證實，但是我並不懷疑。嗯，我很肯定在我載他到席拉·費恩的住處之前，他並沒有去過那裡。其他事情也讓他擺脫嫌疑。」

「哦，比如說？」

「我講過，命案發生之前他跟我交談過，還暗示說今晚我們將會逮到著名刑案裡的兇手。如果他預謀幹下這起謀殺案，那就太奇怪、也太愚蠢了。塔尼維諾可不笨，由其他方面很清楚的可以看出。還有他幫忙指出手錶的問題，這也顯示出他的熱心。他那個分析非常高明，雖不很必要，因為我已經從老吳那裡知道真相了，但是這還是可以充分證明他誠心誠意想要幫忙。不，我不相信他是殺人兇手，不過……」

「不過什麼，老陳？」

「目前那一點我寧可安安全全放在心裡。那可能有許多含意，也可能毫無意義。」

「你對塔尼維諾存疑嗎？」組長注視他。

「以命案而言，這可不是孤立的事件。命案發生時，我很肯定他絕不在現場。換個角度來看——在把想法公開之前，請容我用這個方式觀察個幾個小時吧。」這位胖子偵探伸手摸著頭。「咳，此刻我迷失在懷疑和疑問的迷宮裡，不知要何去何從了。」

「你必須停止疑慮，老陳，」組長的語氣溫和之中又帶了點擔心。「我們警察的面子有麻煩了。檀香山是個安靜的小城市，如果這些人才剛跑來，就在威基基那裡殺來殺去，我們便必須向他們證明兇手絕對逃不了。這我要依賴你。」

陳查禮行了個禮。「恐怕你得如此。感謝你的殊遇，我將竭盡駑劣以赴。現在我要向你道聲晚安了，今晚像經歷了一場延長時數的爭辯，累死我了。」

他出去破舊的走廊，適逢史賓塞從街上進來。陳查禮看了一下手錶。

「『大洋號』出港了嗎？」他問。

「是，它開走了。」

「相信我們的朋友沒一位在船上吧？」陳查禮說。

「沒看到有人上船，而且我想我是最先到的。倒是其中有個人跑來了。」

「哪個人？」

「亞蘭．堅尼斯。他從格蘭飯店坐車來拿行李，船離開碼頭時，我聽到他嘀嘀咕咕的咒罵起來。我幫他把東西搬上車後，他又回海邊那裡了。他要我傳句話給你。」

「什麼話？」

「他說下次船來的時候他就要離開，不管什麼神仙鬼怪都不能阻止他。」

陳查禮笑了起來。「假如他要試試看的話，我倒要看看他如何通過碼頭這一關。」

步下台階到了街上，月光底下，他看見那位海濱逐客史密斯洋洋得意的走了過來。

「我有個好主意，長官，」那位老兄說：「你開車載我到車站，再把我踢下車。我要怎樣回住的地方呢？今晚我用走的已經走了一次。」

陳查禮伸手進去口袋，拿出一枚小硬幣。「你可以搭電車呀！」他建議道。

史密斯低頭看著那枚銅板。「才一毛錢啊?」他說:「我可不能搭上車,卻只給車掌一毛錢。身為紳士必須有一塊錢才夠體面。」

陳查禮累歸累,卻還是笑了起來。「非常抱歉,」他答道:「你那樣講可能過分了點,但我想還是載你一段路而不給錢來得聰明。很晚了,今晚你應該不必攜帶太多的體面才能維持住尊嚴。」

史密斯固執的搖搖頭。「我一定要有個一塊錢的體面。」他堅持道。

「你的意思是一定要去買酒,」陳查禮聳了聳肩。「假如這枚銅板你不滿足,那我要很惋惜的收回來。」他向自己的車走去。「很抱歉我去的地方跟你棕櫚樹下的臥榻不同條路。」

史密斯跟過去。「噢,好吧,也許我太敏感了,那枚銅板給我。」陳查禮給了他。「這是用借的,長官,我會記住。」

他匆匆沿著教堂街走,朝國王街的方向而去。陳查禮一隻腳踩在他那輛小汽車的踏板上,眼睛注視著那傢伙的背影,最後他下了車,跟蹤過去。空無行人的街上亮如白晝,冒險性很大,但是陳查禮是玩這種遊戲的老手。史密斯那雙破鞋啪噠啪噠的走在空蕩蕩的人行道上，然而偵探卻宛如穿上絨布拖鞋似的行走無聲。

海濱逐客右轉到國王街，陳查禮在商家住戶的門口閃進閃出，沿路尾隨。當目標接近砲台街街角時，陳查禮在隱蔽處守候著，心情急躁起來。史密斯會在轉角停下來等電車，坐到威基基去嗎？如果是，那這次跟蹤便一無所獲。

但是史密斯並沒有停下來，反而穿過馬路，快步向砲台街走去。月光明晃晃的照在他那頂大草帽上，照在他那件可笑的天鵝絨外套上。陳查禮的興趣立刻恢復起來。這麼晚了，那位海濱逐客要出啥任務？

跟到了砲台街，陳查禮選擇在馬路的另一邊跟蹤史密斯，那裡光線較暗，也比較適合做這種事。他們行經檀香山的主要商店，兩邊的店裡頭各只有一盞微弱的燈亮著，繼續向前走，到了威歐里飯店的門口，史密斯停了下來。陳查禮躲在馬路對面商店的陰暗門口，看到史密斯探頭往飯店大廳窺視，那一整片玻璃門後面除了椅子上坐著一名警衛在打盹外，空無一人。海濱逐客一時躊躇起來，隨後彷彿改變了心意，轉身往回走。陳查禮一陣慌亂，急忙將肥胖的身軀往後面的商店門口一縮，惟恐被發現。

但是沒事。出乎意料的，史密斯快步走回到國王街轉角，在那裡等候開往威基基的電車。陳查禮依然留在暗處，直到電車開來，看到那位老兄上去找到位子坐下，電車立刻開走了——他並沒有用到一塊錢美元的體面。

陳查禮緩緩的往回走向警察局。這一幕是什麼意思？很顯然鮑伯．懷菲把住處告訴陳查禮的同時，也向那位破落戶史密斯知會了。於是史密斯想立刻去找那位演員，討論要緊的事。

陳查禮正要上車的時候，組長剛好從警局的台階走下來。

「我還以為你回家了咧，老陳。」他說。

「我耽擱了一下。」陳查禮解釋道。

組長關心的走過來。「有新的狀況嗎？」

「我老是停在原處進不了。」偵探歎了一口氣。

「這件案子並未真如你說的暗無天日吧？」組長擔心的問。

陳查禮點點頭。「坐在井裡的人，看到的天空只有一點點。」

「喔，那就爬出來吧，老陳，爬出來吧。」

「我正準備快速的爬坡呢！」偵探發動引擎，朝向潘趣盂山的家疾馳而去。

【第十二章】沒有人是傻瓜

破曉了，威基基上空有一層灰色的霧靄。海濱逐客史密斯，在他睡的沙灘上微微一抖，動了起來。他推伸雙手，好像要把蓋在單薄衣衫上面的毯子弄開，但事實上並沒有那張毯子。他翻個身，喃喃自語了幾句夢話，之後又躺著不動了。

灰色的霧靄轉成了粉紅色，東方群山之上一小塊天空轉變成顏色稍暗的金色，幾片浮雲突顯出來，顏色有如不久前的黑夜。史密斯張開了眼睛，逐漸清醒到能夠認出周遭環境。他本不想睡在海灘上的，平常早上醒來都會體認到自己再一次破產了，但今天因為某種理由這種感覺不見了。有某件愉快的事情發生，或即將要發生了。啊，是了。他對著頭上的黃槿露出了微笑，紅褐色的花落得他滿身都是，昨晚睡覺之前這棵樹的花還是黃的。他寧可偏愛葡萄柚和咖啡樹，但是花朵在景致上較為融入。

他坐起來。東方天空的金色擴散開來，太陽露出了一點點，海浪拍擊的白色沙灘也閃閃發出金色亮光，與天空的顏色相調和。鑽石岬，那個休火山，矗立在他的左邊，他一直對那座山抱有一種惺惺相惜的感情，因他自己也有點呈現休止的狀態。他的心思回到昨天晚上的事件上，好運親手抓住了他，帶他到那座棚屋的窗戶旁邊。過去這幾年機會太常忽略了他，他下定決心這次一定要睜大眼睛。

他站了起來，脫下身上單薄的衣服，露出底下破舊的運動褲。鼓起全部的勇氣，他一路奔向海水，跳了進去。水溫的衝擊使人振奮起來，他勇敢向前游去，這片熱帶海灘至少讓他學會了一件事，那就是游泳的技巧。當他划水前進的時候，這幾年的荒廢離他遠去，舊日的雄心復又回來，他已擬好將來的計畫。他將贏回昔日的自己，離開這個無論如何不願再待下去的地方，這裡太慵懶了。他要重新做人。他終將掌握到一筆錢，一筆可以使他回到坦途上的錢。

溫暖而友善的太陽慢慢爬上東方的天空。史密斯鑽到大浪下面游著，每游一點便覺得氣力又多了一點。最後他游回水淺的地方，腳踩著海底，小心避開礁石，從澡堂回到臥房。他坐了一陣，背部倚靠著廢棄的船體，船體遮蔽處便是他過夜的地方。熱烘烘的太陽正好充當毛巾擦乾身體，他休息著，身心與整個世界契合。一種慵懶的舒適感在他全身擴散開來。但是不行，不可以——這樣可不行。

他把衣服穿上，從口袋拿出一把缺了齒的梳子，用來梳他黃色的鬍子和頭髮。盥洗完畢後，接下來是早餐，頭頂上懸著一大串椰子，通常他不得不去摘一個來吃，但是他對自己笑著說：今天可不一樣。在一片陽光燦爛的美景中，他緩緩走向莫亞納飯店。從某方面來說，飯店這個場景便是導致史密斯先生沈淪的原因，他每次都想將莫亞納飯店畫下來，最後都厭惡的丟下畫筆，為自己的才華不足悲歎不已。

飯店外面的沙灘上有位早起的海灘男孩，他在彈奏鋼絃吉他，口中唱出一首溫柔的歌。史密斯立刻走到他身邊。

「早啊，法蘭克！」他說。

法蘭克轉過頭來。「哈囉！」他恍如夢中的應道。海濱逐客在他身邊坐下。法蘭克忽然注視著對方，那雙黑眼睛認真的睜大起來。「我今天不想為觀光客唱歌，」海灘男孩宣布道，「我只想為藍天白雲而唱。」

史密斯點點頭。對不同文化背景的人而言，這話聽起來誇張得像在演戲，但是海灘逐客很清楚夏威夷人絕非如此。他旁觀他們每天早晨來到這片摯愛的海灘，張大了眼睛看著，好像初次注意到如此的美景；他們歡呼著跳進熟悉的海水裡，在現今的世界上已經很難得有如此的快樂了。

「那是理所當然的啊，法蘭克。」史密斯點頭同意道。突然他加進比較務實的語氣。「你有錢嗎？」他問。

男孩皺起眉來，為什麼這些老外總是對錢那麼有興趣，老是談說錢啊錢的？那對他毫無意義，以後也是如此。

「大概有吧，」他不以為意的答說：「錢應該在我外套裡面。」

史密斯眼睛一亮。「借我。今晚之前還你，其他欠你的也一樣。我一共欠你多少？」

「不記得了！」法蘭克回答道，再度唱起歌來。

「今天結束以前我會有很多錢。」史密斯接著說，語氣有點興奮。

法蘭克輕輕的唱著。為了錢竟能那麼興奮，太奇怪了，天空如此的藍，海水如此的柔，光是躺在白色沙灘上哼他一首歌，就已經夠滿意了。

「你說在外套裡是嗎？」史密斯追問道。

法蘭克點點頭。「你去拿吧，更衣室的門開著。」

史密斯立刻去了，回來時他一手拿著一塊美元，另一手拿著一幅小張的油畫。

「寄在你那裡的這張畫我要拿走，法蘭克，」他解釋道。「有個感覺告訴我，這張畫終於有人要買了。」他挑剔的看著那幅油畫，一位黑皮膚、黑眼睛的少女站立著，背景是寒涼的深綠色，手上一朵紅色的花放在雙唇之間，她的面貌是熱帶地方的臉，消失在南太平洋的慵懶島嶼上的臉。「你知道嗎，」海濱逐客想自誇自讚又不好意思出口的加了一句：「畫得還不壞。」

「是啊！」法蘭克說。

「一點都不壞，」史密斯繼續說：「但另一方面呢，法蘭克，他們說我很有才華。我在紐約聽人這樣說，在巴黎也是。才華，也許有點天才的成分吧，但是不多。沒有志氣，沒有個性，沒有任何條件當後盾。做人一定要有個性，老弟。」

「是啊！」法蘭克又懶懶的應了一句。

「你知道嗎，法蘭克，畫家如果沒有具備我一半的技巧——噢，去他的，講這個有什麼用？我幹嘛要抱怨？你看看柯洛（Corot）吧，法蘭克，他在世的時候一幅畫也沒賣掉。再看看馬內（Manet）吧，你知道人家怎樣批評馬內嗎？他們嘲笑他。」

「是啊！」法蘭克繼續應道。他把吉他一擱跳了起來，奔跑過沙灘，像條魚似的躍入兩呎深的海水裡。史密斯在背後看著他，頭搖了搖。

「對畫沒興趣，」他喃喃道！「只有音樂。好吧，那也是挺重要的。」他把鈔票放進口袋，油畫夾在腋下，向大馬路走去。

電車來了，目標是城裡，史密斯大搖大擺上去，很神氣的給了一塊錢——也許從此之後，車掌再也不會憑衣著來判斷每一個人了。在進城的路上，他又端詳了一兩次自己的畫，觀感又更好了些。

在市區一家飲食店裡，他犒賞了自己一頓早餐，他已經有很多天不知早餐為何物了。然後他動身到威歐里飯店。他的進入並沒有受到熱烈歡迎，櫃台人員公然饗以拒絕的眼神，冷冰冰的問道：「你想要幹什麼？」

「懷菲先生住這裡嗎？」海濱逐客問。

「是住這裡，但他睡得很晚，我不能叫他。」

「你最好叫他。」史密斯忽然露出權威的語氣。「我跟他約好了，非常重要。懷菲先生想要見我，更甚於我想見他。」

櫃台人員猶豫了一下才拿起電話。隨後他轉向海濱逐客。「他馬上下來！」他說。

史密斯不客氣的挑個位子坐下來等。懷菲幾乎立刻現身，顯然並未睡得很晚。他雙眼帶有憂色，走到了海濱逐客面前。「你想見我？我正要去戲院，一起來吧。」

他把房間鑰匙交給櫃台，大步向門口走去，史密斯掙扎的跟了上去。兩人默不作聲的走著，最後演員轉過身來。

「你為什麼如此輕率？」他責問道。「你可以先打電話給我，這樣我就會見你呀。」

史密斯聳了聳肩。「打電話很花錢咧，」他回答道：「而且我還……沒有很多錢。」

他那個「還」字是有含意的。懷菲帶路從城市的現代區走到東方人區，經過的商店無不充滿著綢緞、亞麻布、刺繡、玉石和瓷器，整綑整桶的南北貨從店內一直堆到人行道上。

「我猜你希望很快拿到錢？」懷菲末了說。

史密斯露出笑容。「幹嘛不呢？昨晚我幫了你一個忙。喔，我可不笨。我知道你為什麼故意認罪。你怕我把站在窗外聽到的事講出來，對吧？」

「你偷聽到了什麼？」

「多了。相信我好了。我聽到那個女人，那個後來被殺的女人，我聽到她告訴你說……」

「好了！」演員神經緊張的四處看了看。沒事，除了一張張面無表情的黑眼睛在迴避著他的眼神。

「我想我的表現和你的企圖非常一致，」史密斯提醒他：「當那個中國偵探拆穿你的招認，再次詢問我聽到什麼時，唔，我講了你要我講的，對吧？我替你前面說過的話幫腔。本來我可以當場引爆炸彈的，可是我沒有。請你記住這一點。」

「我當然記住。因此我料到你今早會跑來敲詐。」

「我說老兄啊，」史密斯舉起那滿是雀斑的手，「你或許可以免去我那樣的罪名，我這個人還殘留了一點點尊嚴，而且……你剛剛講的一點都不合乎我的作風。我恰好想到，我身為有智慧的人，身為現代藝術的從業者，你或許會對我的作品感興趣。」他指著那幅油畫。「我剛好身上帶了一幅。」他愉快的說。

懷菲笑了起來。「你可真狡猾啊，史密斯先生。如果我要買你的作品，價錢怎樣算？」

史密斯舔了一下舌頭。「這地方我已經受夠了，我想永遠離開這裡。去年我就想要回家，回我老家克里夫蘭。我不知道他們是否樂意見到我，假如我穿著體面，口袋裡又有一點錢的話，那或許有些幫助。」

「你最初怎麼會到這裡來的？」演員問道。

「我到南太平洋畫風景畫，那地方對某些人而言可能還不錯，但對於我——唔，我頭一件事只知道我人在海灘上。很久之後，我家人寄錢來叫我回家。我安排登上一條船，但很不幸的，船在這個港口停留了一天。再加上——在這個世外桃源，你有沒有試過一種叫做『歐克里郝』的酒？」

懷菲露出笑容。「我懂了，你忘記返回船上。」

「我說老兄啊，」史密斯聳聳肩說：「我是把整個世界都忘了，等醒來時，船已經開走兩天了。奇怪的是，我父親似乎很懊惱，他真是個沒耐性的人。」

他們走到河邊，過了小石橋，進入亞拉公園。這座公園因為地點適中，因此城裡一干市井無賴都聚集在這裡。懷菲指著一張長椅，兩人坐下來，史密斯將油畫交給他。

演員約略看上一眼，臉上露出驚奇的表情。「老天啊，」他大聲說道：「畫得真他媽的好！」

「你這樣說，我很高興，」史密斯笑道：「你也有點意外，是吧？我可不是你們所謂天生的推銷員，但是我忍不住要指出，這東西也許哪一天會很有價值。機會僅此一次。你想想看，也許你哪天會很得意的向朋友說：『噢，對呀，但是我老早以前就看出他的才華了。我是他第一個主顧。』」

「角落這邊是你的本名嗎？」

海濱逐客的頭揚起來。「是的，那是我的本名。」他答道。

懷菲把畫放在膝蓋上。「這個要多少錢？」他問道。

「我可以得到什麼呢？」史密斯反問道。

「假如你真的想要回家，」演員說：「我倒很樂意替你安排。當然不是現在，警方目前不會讓你走。但是等風聲不那麼緊的時候，我會替你買一張船票，另外還給你額外的錢，你知道，這張畫的報酬。」

「額外的錢是多少？」

「兩百塊美金。」

「噢，我不知道……」

「那就兩百五好了。聽好，你可不是在跟大財主談生意，我只是一個領工資的演員，你的胃口不能太大。我在檀香山演戲演很久了，因此存了一點錢，我把所有的家當都給了你，如果這還不夠，那我很抱歉。」

「那樣夠了，」海濱逐客緩緩的說：「我並不想對你很苛，你知道，做這樣的事我也不是很得意。但這是我的機會，離開這裡的機會，老天，我必須接受。就這麼說定，一旦他們肯讓我走的時候，一張回美國的船票，以及口袋裡的兩百五十美元。但是……這段期間呢，我現在要一點點頭期款。」

「去買歐克里郝嗎？」

史密斯遲疑了一下。「我不知道，」他坦白的說：「但願不會，我不想去碰它，那樣我可能會把祕密講出來，把事情搞砸掉。我可不是為你著想，我是說會把我自己的事情搞砸掉。」他站起來。「我不會去碰它，」他忽然大聲說道，「我要抗拒，而且會得到勝利。我用男人的人格向你保證。」

懷菲審視著他，心想他的人格值多少錢，隨後拿出了皮夾子。

「看來我必須相信你。我現在就給你五十美元。」史密斯的眼睛一亮。「我身上的錢就那麼多。你等一下好嗎！」他把海濱逐客貪婪的手推開。「記住，你必須小心。假如警察發現你忽然有那麼多錢，他們一定會調查原因。」

「我只想買幾件新衣服。」史密斯想望的說。

「現在不行，」懷菲警告道：「在你坐船離開之前是可以，那個我們再來料理。但在目前，你暫時先保持現在的樣子，靜觀其變。」演員也站了起來，嚴肅的注視著對方的臉。「我一切都靠你了。一個像你那麼能畫畫的人，可不要當傻瓜。你走吧。」

「老天啊，看我的吧！」史密斯嚷道，他快速的穿越了公園。懷菲望著他的背影好一陣子，然後把剛買的畫夾在腋下，緩緩朝戲院的方向走去。

史密斯走到不列塔尼街，進入一間矮房子，門上面有塊不太明顯的招牌：「日本旅社」。窄窄的櫃台後面站著一位殷勤有禮的小個子日本人，背後的牆上掛著一幅相片，是一艘破浪前進的大輪船，上面有幾個字：「日本株式會社」。

「哈囉，內田，」史密斯得意揚揚的說：「我原來那個房間沒人住吧？」

「很抱歉！」日本人很小聲的說。

史密斯把一張鈔票丟到櫃台上。「我先付十塊美金住宿費。」他說。

「很遺憾你離開了那麼久，」小日本趕緊補充道：「房間啊，沒問題。」

「我到房間洗把臉，」史密斯對他說：「行李晚一點拿來。」

「家裡寄錢來了，對吧？」內田笑道。

「家裡寄錢來?沒那回事。」史密斯假惺惺的說：「我賣掉一張畫了，內田，你知道嗎，比柯洛還好。」他神祕兮兮的俯身在櫃台。「內田，可憐的老柯洛從未明白這一點，道理全在於你要在正確的時間，站在正確的窗戶外面。」

「也許吧！」內田同意道。「現在你最好到房裡去。是第七號房，跟以前一樣。」

「能夠回家真好！」史密斯回答道，他一面吹著輕鬆的口哨，一面走進去。

【第十三章】陳家的早餐

史密斯游完晨泳後的一小時，陳查禮起床了。他走到窗戶旁邊，俯瞰著市區和大海的全景。從潘趣盃山看下去，這樣的美景很能夠觸動一個人的心絃：青翠的山谷和波光粼粼的大海，在這個季節鳳凰木已經成了深紅色的大洋傘，炮仗花開得層層密密，處處都可見到九重葛磚紅色的花。陳查禮的家坐落在賞心悅目的地點，他喜歡在早晨佇立在窗前，領略著自己的好福氣。

然而，今天他卻比較想思考一下攤在眼前的問題。昨晚上床時，這問題似乎無解，該來的總會來，因此好好的睡了一覺，現在他已感覺體內有股新的活力了。這個問題無疑有著簡單的答案，美國本土的警察遇上了肯定大感狼狽、束手無策，而他會如此嗎？

無論如何，他還是得迅速行動，機智以對。他想到，寓言裡有隻白鶴希望等到海水枯乾，這樣就有渴死的魚好讓牠吃，白鶴最後卻餓死了。他陳查禮可沒有意思去模仿那隻笨鳥。

他這個家可不是個安安靜靜的房子，十一個子女住在一個屋簷下，使得每天清晨都有點像瘋人院。他們的聲音出現在這裡、那裡，尖叫，勸誡，嘩笑，而且至少有一個正在痛哭。這一天又如往常一樣展開了，他帶著安慰的心情準備要去上班。

他看到第三個女兒徘徊在飯廳的餐桌旁，才剛進去，卻發現每一個子女都很好奇的看著他，他已經很久沒受到如此的關注了。他們同一時間開口，於是他了解他們好奇的原因了。報紙上說，他們心目中的一位大明星被人謀殺了，他們不是想了解兇手是否已繩之以法，就是想知道案發的原因。

「安靜！」陳查禮喝道。「樹上的八哥那麼多，樹下的人還能思考嗎？」他轉向穿大學服的長子亨利，這小子正在點菸。「你應該去看店了。」

「我馬上就去了，爸，」亨利回答道。「但是，席拉．費恩這件事是怎麼回事啊？」

「報紙你也看了，有人狠心用刀把她殺了。好了，你去工作吧。」

「是誰幹的呢？」長女蘿絲說：「我們想知道的是這個。」

「還有很多人正在為此煩惱呢！」她老爸坦承道。

「爸，這案子是你辦的吧？」亨利問道。

陳查禮看著兒子。「他們在檀香山還會找誰？」他若無其事的說。

「喔，那個下三濫的兇手是誰？」亨利接著說，他已經美國化到了令人心痛的地步。「你什麼時候會逮到壞人？他叫什麼名字？」

陳查禮再度看著他，歎了一口氣。這些孩子都是他與未來的聯繫——什麼樣的聯繫呢，他常感到懷疑。

「我經常告訴你，你說話的用語很不文雅，」他指責道。「我現在還不知道歹徒是誰，因此不知道他的名字。」

「但你會查出來的，是不是，爸？」蘿絲插嘴道：「你不會踢到鐵板吧？」

「我曾經那樣狼狽嗎？」他問。

女兒嬉皮笑臉看著他。「好啦，爸……」

「我小的時候，」陳查禮趕忙說：「父親是無所不知的，誰要敢質疑，就是大逆不道。從前父親很有尊嚴，受到子女尊敬，像妳剛剛暗示我會失敗的事絕不可能發生。」

女兒站起來走到他背後，臉上還在笑著。「時代不一樣了嘛。你當然不會失敗，這個我們都知道，不過這案子我們一家人都很感興趣喔。所以你腳步快一點，好不好？可別花太多時間去打坐沈思了。」

「一旦我停下來仔細思考，」他回答道：「我就是這個新世界最孤獨的人了。」

蘿絲吻了他一下，出門到她暑假打工的銀行。亨利有氣無力的站起來。

「爸，你今晚要用到車嗎？」他問道。

「如果我有哪個時候要用到，今晚就是那個時候。」他老爸答道。

亨利皺起眉頭。「看來我得買一輛，」他說：「我可以用分期付款買一輛不錯的二手車。」

陳查禮搖搖頭。「你去工作，用賺的錢自力更生，」他奉勸道：「這樣你就不必擔心半夜債主跑來敲門。」

「老套了！」亨利回了一句，隨後懶洋洋的出門去。

陳查禮聳了聳肩，專心吃起早餐。年紀十五歲的伊芙琳開口了。「爸，我認為席拉・費恩好酷，我看過她演的幾個很酷的角色。」

「夠了！」陳查禮大叫道：「美國話有那麼多好講，而妳偏偏選最低俗的字眼來用。我真是灰心。」

他太太端著燕麥粥和熱茶出來。她是個滿面春風的女人，身材幾乎跟陳查禮一樣胖，臉上帶著和氣的笑容。即使丈夫和子女遠比她更能適應異鄉的土地，她也絲毫不覺得煩惱，這從她安詳的眼神中即可看出。「我聽說過席拉・費恩的事了，」她說：「真的好可怕。」

「哦，妳怎麼知道席拉・費恩這個人？」陳查禮驚奇的問。

「孩子們一天到晚席拉・費恩長、席拉・費恩短的，」他太太說：「我想她一定是個很好的女人，你必須快點抓到那個壞蛋。」

陳查禮正喝茶，嗆了一下。「假如沒有的話，我看要被逐出家門了。我能否很謙卑的請求妳給我一點時間？這件案子要做的事情非常多。」

「也許你需要多喝點茶！」他太太表示道。

他喝完第二杯茶，然後站起來，伊芙琳去拿他的帽子，大家都似乎急著送他出門。

在門口他幾乎撞上了一位臉圓圓的小男孩，男孩眼睛黑黑亮亮的，讓人聯想到他老爸。「喔，是小巴利呀！」陳查禮抱起小男孩，親切的吻他。「你長得越來越帥了，就像你的名字一樣，巴利．寇克先生。好了，乖，不要拿石膏吃。」

他出門上了車，開下山的時候心中一直想著自己的子女。他們都成了美國的公民，這點一直讓他覺得很驕傲，但是，或許正因為這個原因，他們似乎長越大和他的差距就越遠，兩代間的鴻溝日益加大。他們不想花工夫去記憶詩賦格言；他們講出來的口語化英語在陳查禮聽起來總覺得很刺耳。

他開車經過中國人公墓，墓碑分散在整個山坡，那裡葬著他的母親。他將母親從中國接來潘趣盂山安度餘年，要是母親看到孫兒孫女現在這個樣子：亨利身上穿著整潔的大學服；蘿絲，生性活潑，能力很強，今年秋天就要去美國本土唸大學了；伊芙琳，滿口不登大雅之堂的俚言俗語，全是從學校聽來的。陳查禮知道，他母親不會樂意見到的。她老人家會為古老的方式、古老的習俗感傷不已。他本身也為他們感到歎息，但卻愛莫能助。

到達市中心商業區，他把注意力放在眼前的任務上。要做的事情很多，他盤算著如何按部就班進行。鮑伯·懷菲是他第一個想到的人，於是立刻把車開到威歐里飯店。

櫃台人員說，懷菲先生跟一個人出去了。跟誰呢？櫃台人員的描述無疑的指出了那個人的身分，陳查禮皺了一下眉頭。史密斯跑來找這位演員幹什麼？他在那座棚屋窗外偷聽到了什麼？為什麼懷菲要承認一件自己並沒有犯下的罪？案子不可能是他幹的，這很明顯。假如他對昨晚所作所為的交代是正確的，這案子就不是他幹的——噢，對，他想起來了，他必須調查一下。

「我好像聽到懷菲先生說要去戲院。」櫃台人員說。

陳查禮對這方面可不精通。「請問是哪個戲院？」他詢問道。

「皇家戲院。」櫃台人員說道。陳查禮於是前往那家戲院。

他從街上進入那家戲院，穿過鋪有磁磚的前廳，進到幽暗的觀眾席。舞台上面，劇團的成員正在排演下周推出的劇碼，幾張舊餐椅代表出場口和入場口，演員站在附近，等待出場的暗示。懷菲正在講一段長長的台詞，他講得無精打采的，好像這齣戲跟他沒多大的關係。

陳查禮沿著晦暗的走道下去。舞台上面有個人坐在桌子上面，手拿劇本，頭上戴的綠絲絨帽低低的壓在眼睛上，看到陳查禮走來顯得很不悅。「你來幹什麼？」他吼道。

「麻煩一下，我要跟懷菲先生說句話。」陳查禮回答道。

懷菲走上前來，伸手擋著燈光看向觀眾席。

「噢，是你——陳督察，」他說：「請上來好嗎？」

陳查禮氣喘吁吁的挪動著笨重的身軀，費力爬上舞台。

懷菲露出開心的笑容。「陳督察，今天早上需要我幫忙嗎？」他問道。

陳查禮半睜著眼睛瞅著他。「你能幫的恐怕不多，除非隔了一個晚上心情改了。你還記得我多少有違你的意，替你張羅了一個非常完美的不在場證明吧。我現在親自前來求證，純屬例行公事。」

「沒問題，」懷菲點點頭。「欸，韋恩，」他喚道。戴綠帽子的男人不太情願的從座位站起，走了過來。「這位是我們的舞台經理韋恩先生，而這位——是檀香山警察局刑事組的陳督察。陳督察是因為昨晚上那件事情來這裡。韋恩，昨晚你來搖鈴揭幕的時候是幾點？」

「八點二十啦，」韋恩咕噥道：「遲了整整五分鐘上場！」

「你搖鈴的時候我就站在旁邊對嗎？」

「對啦，你在。但是敲門的時候你人在哪？我知道才有鬼！」

「但是陳督察卻知道，」懷菲回答道。「這就是你想問的嗎，陳先生？」

「我還想問一件事。」陳查禮對舞台經理說：「你們這禮拜上演的戲碼中，懷菲先生的角色要用刀當道具嗎？」

「用刀當道具？」韋恩重複著，「噢，不用，這齣戲裡面沒有刀，這是一齣文雅的室內喜劇。」

「非常謝謝你，」陳查禮鞠了個躬說：「我只問這些。」他思索的看向鮑伯．懷菲：「你跟我來一下好嗎？」

他帶路走向觀眾席，心裡一面思考著。席拉．費恩在八點十二分的時候，有人看到她還活著，而八點二十分的時候，鮑伯．懷菲正在舞台側翼準備上場，這當中只有八分鐘——沒人能在這麼短時間從威基基海灘跑到城內。懷菲的不在場證明是完美的，只不過……

走到觀眾席幽暗的最後一排，陳查禮停住腳步，兩人倚在欄杆上。

「懷菲先生，我仍然覺得很疑惑，」偵探說：「為什麼你要承認殺了席拉．費恩？」

「我自己也有點疑惑呢，陳督察。」

「顯然你並沒有殺她。」

「恐怕你必須把我當作傻瓜，」懷菲說。

「往另一個角度看的話，我認為你非常聰明。」

「哦，真的嗎？我很清楚這是恭維。」

「認罪總該有理由吧，懷菲先生。」

「若是有的話，我現在已經不記得了，陳督察。」

「你最好告訴我，否則便阻礙了司法調查。」

「陳先生，這個我必須判斷一下。我並不想妨礙你，相反的，我非常希望你能夠成功。」

「在這種情況下，我覺得難以置信。」陳查禮沉默了半晌。「今早你會見了我們那位海邊的流浪漢？」

懷菲遲疑起來，跟史密斯在公開場合碰面使他更加後悔了。說著他仰頭大笑起來

——這個笑，來得太遲了，陳查禮注意到。

「當然有囉，」演員承認道：「我還沒起床他就跑來拜訪了。」

「他找你有何目的？」

「當然是來要錢。我猜他昨晚碰過的人都要跑去拜訪，他似乎以為光是見過那一面，就可以對我們有所請求。」

「你別忙著使用複數名詞，」陳查禮阻止他說：「我認為他的請求是針對你。」演員回說沒這回事。「你給他錢了嗎？」陳查禮追問道。

「喔，給了，一點點錢而已嘛。我真替他可惜，他是個不錯的畫家——」懷菲突然停下來。

「你怎麼知道他是個不錯的畫家？」陳查禮趕緊問。

「這個，他……他留下一張畫給我。」

「是這幅油畫嗎？」陳查禮沿通道走下去，在一張空位拿起了一件東西。「我們一起過來時，我就發現了這個，」他解釋道。「你若不介意的話，我想拿到光線底下好好看看。」

「沒問題。」演員同意道。

陳查禮走到門邊，把門推開，對那張畫端詳了一陣子。畫中那位少女的眼睛正對著綠色的灌木，似乎異樣的有生氣。他回到懷菲的身邊。

「你說得對，」他把油畫放在一張椅子上，說：「那個人是有才華。很可惜這樣的人竟要恐嚇勒索。」

「誰說那是勒索？」懷菲質問道。

「我說的。懷菲先生，我可以拘捕你——」

「我那樣的不在場證明還不夠充分嗎？」

「是很充分。但是妨礙了我的調查。我最後問你一次，那個海邊浪人聽到了你前妻告訴你的什麼話？」

舞台經理走到腳燈前面，叫著懷菲的名字。

「很抱歉，」懷菲說：「我是跟團跑的，現在必須走了。」

陳查禮聳了聳肩。「調查才開始展開哩，在結束之前我會曉得的，懷菲先生。」

「有空隨時過來，」懷菲伸手與他握手，若無其事的說：「很抱歉我現在必須離開你了，不過你也知道，我是靠演戲吃飯的。」

陳查禮一本正經的跟他握了手，演員匆忙沿著走道回舞台上。回到明亮的街上，陳查禮不解的皺起眉頭，他知道懷菲親切有禮的背後隱藏著十分重要的事情，那事情也許真的能夠解決他的問題。但是要從懷菲身上得到是不可能的。假如是那位海濱逐客的話——啊，或許吧。他在心中對那位海濱逐客做下了記號。

坐回駕駛座上，他把車開上國王街，拐向威基基海灘的方向。當他經過街後面、置身在高大林木之間的的大眾圖書館時，不由得停下車來。他忽然想到，他應該讀點洛杉磯報紙上有關丹尼．馬佑命案的資料。若是他埋首在描述好萊塢那段泛黃往事的方塊文章裡，說不定會因為其中一兩行記事，突然嗅到殺死席拉．費恩兇手的氣味。

他立刻迴轉，目標圖書館。片刻之後，他跟館內的女職員攀談起來。

「我能立刻借閱到洛杉磯三年前六月份的報紙嗎？」他問道。

「當然可以，陳先生，」館員答道：「你只要填一下這張卡。」

他三下兩下填完，看到卡片交給一位年輕的女性助理。那個女孩走向檔案架，手拿著借閱卡一看，轉個身，走回來。

「很抱歉，」她說：「我剛剛想到，《洛杉磯時報》那一卷正在借閱中。」

「借閱中？」陳查禮驚奇道。

「是的，有位先生半小時前借去看了。」

「妳能描述一下那位先生的長相嗎？」

女孩頭往閱覽室一點。「他人還在，坐在最裡面那扇窗戶旁邊。」

陳查禮走了幾步，從一座書架旁邊瞄過去。一名男子坐在椅子上，上半身伏在一部大檔案上，陳查禮看見是杭特立．范豪恩。那位影星並未抬起頭來，整個人似乎正埋首於眼前的工作上，表情有點可怕。陳查禮向櫃台示意報紙不借了，腳步放輕走出了圖書館。

【第十四章】 棚屋的窗戶

陳查禮走回大街，上了車，隨後朝著威基基奔馳而去。這輛忠心耿耿的小車再次在他屁股底下晃動了，這樣的感覺很好，以前這輛車經常載著他追蹤無數個線索。一如他所講的，有很多線索會帶著他「碰上無可撼動的石牆」，這時他就會掉轉車頭，尋找新的道路。在大部分的案子裡，通往成功的道路最後便會出現在他面前。

在如此明亮的早晨底下奔馳，他心裡在玩味著杭特立·范豪恩這個人。昨晚上黑駱駝想必已經蹲在席拉·費恩的大門外時，他彷彿看見這位影星從屋外的草坪上走過去。沒有人陪在這位老兄身邊，沒有人看到他，他可以輕易的走進棚屋，讓那個女人永遠無法再吭聲，再平靜的走到沙灘跟另外兩個人在一起。

范豪恩是個怎麼樣的人？他那些孩子老是把電影雜誌帶回家，真希望自己也看了幾本。此人不是瘦瘦長長、漂亮男孩一類的銀幕萬人迷，這點相當明顯。戲謔、高傲、好整以暇，一個能夠跟自己打商量的那種人，別人若要介入他的個人事務，他就會面無表情的看著對方。啊，沒錯，范豪恩先生很值得思索一番，這樣的思索說不定會有豐富的收穫。

但是陳查禮當下所關切的卻不是范豪恩了。他現在開在卡拉卡華大道上，雖然太陽仍在頭頂上照耀著，他卻駛入了正在下雨的區域。快到飯店時，他看到觀光客紛紛穿上雨衣、撐起雨傘，顯然他們把這場太陽雨看得太嚴重了，這幅情景看在像陳查禮這種本地人眼裡，覺得很好笑。他大角度右轉，駛過格蘭飯店怡人的庭園，將車停放在後面車道。他毫不在意的在細雨中行走，來到飯店前面，一步一步走上台階。

服務生領班是位年輕的中國人，一臉喜色的用廣東話向他表示歡迎。陳查禮停下來跟他談了兩句。不是，他解釋說，他並不是在找什麼特別的人，如蒙允准的話，他想進去晃一晃。他經過高敞涼爽的大廳，年輕的飯店副理笑容滿面的向他打招呼，他也點一下頭。

穿過長長的走廊，來到飯店的交誼廳，這麼氣派的室內布置多少曾引起檀香山人的驚愕和憤怒，但是他跟他們不一樣。造訪過美國本土，他覺得自己已經見過世面了，對這些飯店他是衷心贊同，認為為威基基海灘多增加了幾許魅力。他對賣花女孩親切的點頭，在交誼廳的入口處小立片刻。這個交誼廳始終讓他精神一振，視線穿過通往陽台的巨大拱門，可以看到波光粼粼的大海，如此讓人屏息的美景，世界上沒有一個地方的海岸能勝過。

交誼廳一位觀光客也沒有，倒是有幾名東方僕役默默的在忙著布置鮮花盆栽，小小的銀器皿裝滿沙土，插著竹子，還有許多艷麗芳香的芙蓉，晚上一到，這種花就要凋謝了。陳查禮走到迎向大海的陽台，隨即碰上好運氣，陽台上只有兩名客人，正好是昨晚和塔尼維諾交談的老年人。他走到他們坐的藤椅前面，低頭看著他們。男的把報紙放在一邊，女的從閱讀的書本中抬起頭來。

陳查禮彎腰行個大禮，「兩位早安，」

「你早，先生，」老先生禮貌的回答，語音有一種愉悅的蘇格蘭腔，臉上則因為曾在烈日下辛苦工作過，有著深深的紋路，人就像陳查禮曾經見過的任何一位老實人。

陳查禮把外套一掀。「我是檀香山警察局的陳督察。我想你們已經看過報紙，有位知名女星猝逝了，我這樣不聲不響侵入你們和如此優美的風景之間，真是非常抱歉。但是你們所認識的一位先生，正好是那位死去女星的朋友，因此我不得不來跟你們講兩句話。」

「真是幸會，」老先生說，他站起來拉了張椅子。「請坐，陳督察。我是湯瑪士．麥馬斯特，住在澳洲昆士蘭，這位是我太太。」

陳查禮向老太太敬個禮，老太太露出友善的笑容。

「兩位來度假嗎？」偵探問道。

「是啊，」麥馬斯特答道。「這是我們掙來的對吧，孩子的媽？噯，在放羊的牧場住那麼多年之後，我們終於能夠回去看一下蘇格蘭了。這是個非常舒適的旅程，陳督察，我們不想錯過路上的任何事物。令人高興的是，」他伸手向海邊一比，「我們並沒有錯過這麼美的地方。」

他太太點點頭。「噯，真的是很美。我們很擔心會提不起力氣再往前走。」

「那是說妳自己喔，孩子的媽，」麥馬斯特說：「一旦時間到了，我肯定自己會有兩個人的力氣，別忘了，亞伯丁在等我們咧。」

「我謹代表檀香山竭誠感謝你們如此珠玉般的讚美，」陳查禮笑道：「我知道你們講的是真心話，這教我十分感動。但是，就算不太情願，我還是必須提起昨晚那樁命案。我能夠很明白的這樣說嗎——某個『馬里希尼』，也就是外地來的人，必須要為此一殘酷的事件負責？這裡的老百姓就像氣候一樣，性情十分溫和，不太可能殺人的。」他令人動容的說。

「這是當然的！」老太太喃喃的說。

陳查禮抬頭看到塔尼維諾出現在拱門邊。看到這三個人待在陽台上，命相家黝黑的臉上露出滿意的表情，立刻下台階過來。陳查禮歎了一口氣。這件事他比較想自己來。

「你早啊，陳督察，」塔尼維諾說：「早安，麥馬斯特太太。你也好嗎，先生？」

「有一點點失落的感覺，」老先生回答道：「沒去工作感覺起來不很對勁，但是孩子的媽說我一定要學會休息。」

「確實要如此，你總算可以休息了，」塔尼維諾笑道。「陳督察，真高興看到你那麼早就在工作。你無疑是來確認我的不在場證明吧，這樣做相當合適而且正當。你向我這兩位朋友詢問到關鍵處了嗎？」

「我想先有合適的準備，再去慢慢觸及。」

「原來如此，」命相家接著說：「麥馬斯特先生，昨晚發生的那起不幸事件中，我正好是那位不幸女人在這個島上所認識的幾個人之一，為了讓陳督察放心，我必須證明當那個女人死亡時，我人在別的地方。幸運的是，有了你們的協助，我才能夠提出證明。」他轉向陳查禮。「昨晚我在大廳跟你分手的時候，你看到我回到麥馬斯特先生和太太身邊，跟他們講話。麥馬斯特先生會告訴你在那之後發生的事。」

老先生皺著眉頭想了想。「這個，呃，塔尼維諾先生提議我們到外面的陽台——我記得你們是叫涼台，陽台可以眺望一大片棕櫚庭園。我們到了陽台，坐著聊了大約半個小時昆士蘭的往事。最後塔尼維諾先生看一下手錶，說是八點半了，他必須要走了，因為海邊那裡有人請吃晚飯。我們站了起來——」

「請教一下，」陳查禮打岔道：「你們有沒有看自己的錶？」

「噯，有啊！」老先生回答道。他的態度非常認真，語氣當中有一種絕不會錯的意味。「我把錶掏出來，」他從口袋取出一個老式懷錶。「我說：『我的錶快了一點點，是八點三十五分。孩子的媽，這個時間我們老傢伙都該上樓去了。』你知道，我們在牧場睡得很早，常年養成的習慣很難改變的。於是我們進到飯店裡面，孩子的媽跟我去等電梯，塔尼維諾先生住一樓，他轉個彎去他的房間。等電梯的時候，我還去櫃台對時間，當時八點三十二分，我把錶調了過來。陳督察，我講的都是事實，我跟孩子的媽都可以發誓。」

陳查禮點點頭。「有的人話出如風，」他說：「但就算瞎子也知道你們講的話沒有錯。」

「噯，我講話一向如此。從亞伯丁到昆士蘭，從沒有人懷疑過，陳督察。」

「你們認識塔尼維諾先生很久了嗎？」陳查禮問。

塔尼維諾搭話了。「認識有十年，」他說：「那時我在墨爾本一家戲院演戲，你知道，我原本是個演員。後來劇團撐不下去了，我於是去麥馬斯特先生的牧場工作，那裡離布里斯班大約幾哩路。我待了一年，那是我一生最快樂的時光。你也看到了，他們二位是世界上最好的人，就像父母親那樣的待我。」

「我們沒做什麼啦，」老太太不以為然的說：「我們很愉快有了你以及……」

「像我這樣孑然一身的人，」塔尼維諾打岔道：「遇到這樣的人真是天大的福氣。你可以想像，當我前兩天在這家飯店巧遇他們時，心裡有多高興。」他站起來。「我想這些就是你想要知道的了，陳先生。我想私下跟你一談。」

「就這樣吧，」陳查禮也站起來，說：「麥馬斯特先生和太太，祝你們的假期一直像這個明亮的早晨在可愛的海邊那麼的快樂。能在這四方輻輳的地點和你們見面，真是非常的愉快。」

「我們共享了同樣的快樂，先生。」麥馬斯特答道，他太太點個頭，笑了笑。「我們在旅行到亞伯丁的途中會一直想念你的，誠心的祝福你能夠成功。」

陳查禮和命相家走進飯店大廳，找了張沙發坐下。「你真是神仙的寵兒，」陳查禮說：「假如我需要不在場證明的話，最想得到的莫過於像剛剛那麼誠實的人所講的話。」

塔尼維諾露出笑容。「是啊，他們真是完美的一對，思想單純、身心健全，堅守所有古老的美德。」他頓了一下。「好了，陳督察，你已經知道在那關鍵的十八分鐘我人在哪裡。而其他人呢？」

「我也知道鮑伯・懷菲人在哪裡，雖然他很多行為讓我感到迷惑。」陳查禮回答道：「至於其他人可就沒那麼好的運氣了。他們沒一個人舉得出不在場證明。」

塔尼維諾點點頭。「是的，而且其中一位在這件事結束前，尤其需要有不在場證明。我猜你昨天夜裡並沒有得到什麼靈感吧？」

陳查禮洩氣的搖搖頭。「我除了一夜好睡之外，啥也沒有。你呢？」

另外那位露出笑容。「我恐怕也是無能為力的落入一夜安眠。沒有，我很賣力的想，但恐怕幫不了什麼忙。這案子有許多種可能，我們要溫習一遍嗎？丹尼・馬佑死的時候，麗泰和威奇・巴洛人都在好萊塢。據說丹尼・馬佑在女人方面不太經心，而巴洛顯然是個嫉妒心很重的人。」

「我有考慮巴洛！」陳查禮緩緩的說。

「那也許值得，」塔尼維諾同意道。「他到處逛來逛去——說什麼進到客廳抽香菸，然後就一直待在那兒。那個時間除了他之外，還有一個亞蘭・堅尼斯，昨晚他很情緒化，有誰知道他任何事嗎？可能他跟巴洛一樣，嫉妒性格非常強烈。他看到那些花，不是他送的，別在他心愛的女人肩膀上，我們看到那些花被人用腳踐踏，好像是在盛怒之中幹的。馬佑那件事我記得聽你講過，到頭來說不定跟費恩小姐這個案子無關，也許它只是起因於一種瘋狂的、不可理喻的嫉妒……」

「也許是吧，」陳查禮鎮定的回答道。「還有一個人是馬提諾。」

「是的，馬提諾，」命相家那英俊的臉龐掠過一陣惡意。「如果能夠幫你把罪名釘在他身上，我將會非常愉快。昨晚他對我講的話十分無禮。」

「你看他是個怎樣的人？」陳查禮問。

「噢，他似乎很有腦筋，」塔尼維諾承認道：「而且有一種粗魯的力量，很奇怪的結合，好像集美感和粗暴於一身。丹尼・馬佑被殺的時候，他人不在好萊塢，但是我要再說一次，說不定我們考慮的方向錯了。馬提諾稍微有點女人緣，他和席拉・費恩之間的關係說不定值得推敲。他從口袋拿出的那條手帕的確讓我覺得可疑，他當然否認東西是他的，誰又不會呢？但不管是誰把手帕放進他衣服裡，都得冒非常大的險，而且很不必要。為什麼不丟進花叢，或草地上呢？為何要冒這樣的困難、這樣的危險呢？陳先生，那條手帕說不定是馬提諾自己的，也許他殺了人之後還帶在身上，完全忽略掉那上面還有玻璃碎片。除非……」命相家頓了一下，「除非你有證據手帕是別人的？」

陳查禮眼神惺忪的看著他。「我手上的證據沒幾個，」他歎息道：「這種情況讓人很困擾，聽你如此分析我很高興，不但合乎邏輯而且滔滔雄辯，請繼續講，你的話帶有這兩種力量。現在我要提出杭特立．范豪恩這個名字。」

塔尼維諾注視著他。「你懷疑范豪恩哪一點？」

「我要很遺憾的指出，他沒有不在場證明。如果是他幹的話，正好適時適地。」陳查禮頓了一下，決定把一些事實加以保留。「除此之外，我並沒有什麼了不起的發現。可否請你說一下你對那個人的看法。」

「這個，」塔尼維諾說：「我對范豪恩並沒有花很多工夫去想。他這人有點古怪，酸溜溜的，一個聲名狼藉的單身漢，沒有女人想跟他來往，緋聞從來跟他沾不上邊。我一直很欣賞這傢伙，但是天曉得他從未對我有過友善的表示。他這人相當聰明，品味出眾，可能有點自負，但是他的恭維話沒人接受得了。」他又想了一下。「不會的，陳督察，」他忽然下決心的說：「雖然正如你所指的，他做案的機會太好了，這是事實，但我並不認為杭特立．范豪恩是我們的目標。」

陳查禮站起來。「謝謝你這些意見。」他看一下手錶。「現在我要到席拉．費恩的住處，你跟我一起去嗎？」

「很抱歉，」塔尼維諾答道：「我現在不太方便。如有最新發展，你會告訴我吧？我不光是好奇而已，假如我們要一起合作的話，我當然必須知道你在做什麼。」

「我們會密切聯繫的。」陳查禮滿口說道。兩人一起走到飯店門口。

服務生領班對塔尼維諾講了幾句廣東話，命相家茫然不解的望著他。「他在說什麼？」塔尼維諾問陳查禮。

「他很恭敬的向你問安。」陳查禮轉述道。

「噢，我很好啊，山姆。」塔尼維諾笑著用英語說。山姆的寬臉上出現困惑的表情。「再見了，陳督察，」命相家接著說：「有最新發現的話請打電話給我。我這方面也會查查看，盡我所能做的。嗯，我會照我講的，跟你一起辦完這件案子。」

「你實在太好了。」陳查禮行了個禮，回頭去開他的車。

陳查禮到達席拉．費恩的住處時，看到房子前面草坪上一大塊老榕樹的樹蔭，一派寧靜平和的景象。耶索前來應門，跟往常一樣舉止合宜、穿著得體。

「你好嗎，長官？」他說：「今早天氣很好喔，是不是？」

「同感，」陳查禮同意道：「這方面我們本地人不太在意，每天早晨似乎都一樣。」

「那樣的話，時間久了一定有點單調吧，不知這樣說對不對，長官。」管家隨著陳查禮進到客廳。「現在在英國的話，長官，早上把窗簾拉開可有些不保險。」

陳查禮佇立觀看這間偌大的客廳，昨晚發生了好多事情，現在卻安靜、平和、陽光滿室。

「長官，茱莉小姐和布萊蕭先生人在附近的海灘，」耶索說：「貴警局有一位警員，好像叫海迪克先生吧，人正在棚屋那裡忙著。」

「噢，海迪克是指紋專家，」陳查禮解釋道。「我到外面去。」他在草坪上遇到那對年輕男女，兩人親切的向他問好。「很抱歉帶來不便，」他向茱莉說：「不過任務總要排在第一優先。」

「噢，絕對不會不便，」她笑道。「我們都在期待你呢。」

陳查禮看著她，好個清新可愛的女孩子，藍眼睛睜得大大的，一副涉世不深的樣子。他想到那枚翡翠戒指。

「老陳，你覺得我今早那則報導怎樣？」布萊蕭問道。

「我匆匆看了一下，」陳查禮答道：「好像有進步。」

「你最多只能講這樣嗎？」小伙子抱怨道。

陳查禮聳了聳肩。「散播讚歎之前，最好能夠三思，」他回答道。「傻瓜唱歌看到沒人讚美，就不會一直唱下去了。」他笑道。「兩相比較當然令人不太愉快。你今早感覺還不錯吧。」

「噢，我跑來替茱莉解圍，」他說：「我站在她和那些記者中間，化解她受到的驚嚇。晚報那些人不太禮貌，這件消息沒透露給他們，他們似乎有點不爽。」

「那也是人之常情。」陳查禮應道。

「你現在要去哪裡？」布萊蕭問。

「想在日光底下看一看。」陳查禮答道。

「我來幫你。」布萊蕭說：「茱莉妳只要坐下來放輕鬆，把眼睛閉上，試著別去想。在威基威沒有人不這麼做的，這可能有點危險，誰說得準呢？」

茱莉對他笑了笑，落坐在一張海灘椅上。

「我只想讓那個可憐的女孩放開朗些，」布萊蕭跟陳查禮一面走向棚屋，一面解釋說：「這次她真的飽受驚嚇，但是短時間之內，我應該能夠說服她相信所有的麻煩都結束了，這也就是說，如果她肯嫁我的話。」

「你的點子真是妙極了！」陳查禮笑道。

「有何不可？我對自己清楚得很。」

來到棚屋，海迪克從裡面出來。他是警局改組時從美國本土調過來的，調來之後接替陳查禮鑑定指紋的職務，態度上對陳查禮並不是很熱絡。

「早啊，海迪克先生，」陳查禮客套的說：「可有進展？」

「不很多，」那人回答道：「指紋很多，卻大部分是死者的。其他人的指紋也可以找得出來吧，我想。你進來，我帶你看。」

「稍待一會，」陳查禮打岔道：「我先在四周大略看一下。」

陳查禮隨著布萊蕭穿過棚屋旁邊的花叢，來到界線西邊的公共海水浴場，棚屋面向海邊開了一扇窗子，也就是昨晚史密斯站的窗子。他停了下來。

窗戶附近有許多足跡，那位海濱逐客的卻幾乎找不到。陳查禮蹲下去抓了一把細沙，慢慢讓沙在指縫間漏掉，隨即發出一聲高興的低呼，站直起來。

「重要的發現！」他宣布道。

布萊蕭靠過來，看到陳查禮手掌心有個香菸大小的雪茄菸蒂。

「被踩進沙子裡了，」陳查禮說：「我沒料到會在這裡發現。」

「哇——我知道只有一個人會抽這種雪茄，」小伙子大叫道：「我看過他抽，昨天晚上……」

「對極了，」陳查禮笑道：「是有一個人，誰知道他竟如此不當心？我真是被意外搞得累死了。亞蘭·堅尼斯先生是什麼時候站在這扇窗戶外面的？為什麼？」

【第十五章】「兩杯柳橙汁」

陳查禮從口袋拿出一個信封，小心把剛才的發現放進去。他跟布萊蕭再度穿越花叢，進到棚屋裡面。海迪克呆坐在梳妝台前，採集指紋的工具散置在面前。

陳查禮在一張藤椅坐下，四下看著，他來這裡看到命案僅僅是昨天晚上的事而已。偵探的臉上鎮定且平靜，好像正在等午餐鈴響似的，並未受到任何問題的困擾。隔著一扇大玻璃窗看出去，一艘郵輪緩緩沿著海岸駛向港口。

「海迪克先生，你在這裡沒什麼幸運的發現嗎？」他問。

「不多，」海迪克答道：「桌上的東西佈滿很多指紋，都是死者的，我今早去停屍間取得她的指紋紀錄。對了，驗屍官要我告訴你，驗屍報告要延到明天舉行，他預計開會之前你會有別的發現。」

陳查禮聳了聳肩。「謝謝他的誇獎，也請你告訴他，我隨時會跟他改地點。」他的視線回到屋內，他注意到，木造部分新近才被漆成白色。忽然他站起來走向面對海灘的窗子。「窗台這裡你沒檢查過吧，我猜。」他說。

「噢，事實是沒有，」海迪克回答道：「我想要檢查，但居然忘了。」

陳查禮笑了笑。「熱帶的氣候下，人的頭腦就是那麼健忘。麻煩你現在檢查一下好嗎？」

海迪克走上前，在窗台上倒下煤煙料，再用駱駝毛刷熟練的來回刷著。

陳查禮和布萊蕭趨前去看。「哇！」陳查禮大叫一聲，窗台光滑的表面出現一個人的五指指紋。

「這是席拉・費恩的嗎？」陳查禮問。

「不是，」海迪克答道：「這是男人的手印。」

陳查禮站起來，深深思考著。「而且是最近留下來的。現在我們有進展了。一個男人的手。一個男人打開紗窗，趴到窗台上面。為什麼？當然是要進來。什麼時候？昨天晚上，當時這裡正籠罩著謀殺的氣氛。對的，我們持續行動，就有進展。」他頓了一下。「到底是誰呢？」他的手碰到裝雪茄菸蒂的信封。他突然下定決心的轉過身來。「有一件事情是肯定的，我必須即刻取得亞蘭・堅尼斯的指印。」他對布萊蕭笑了笑，說：「警方掌握到有力線索，保證及早逮捕嫌犯。但是這件事如果有一個字見報，我就會以你送洗的那條手帕為由，立刻把你關起來。」

「我不會寫啦，老陳，」小伙子承諾道：「你現在要去哪裡？」

「我想把你留給一個人，不是別人，茱莉小姐是也。你說她是誰？」

「你等一下，我來告訴你。她是最最——」

「等等，」陳查禮打岔道：「等到最後再講吧。海迪克先生，我得請你留在這裡等我回來。請你注意四周的情況。我去格蘭飯店一趟。」

他離開棚屋，小伙子跟過去。陳查禮在屋子轉角失去了蹤影，布萊蕭折往茱莉的方向，在她身邊坐下。

「那個有趣的警察離開了嗎？」她關心的問。

「他要離開個幾分鐘，然後回來。」布萊蕭看著她，好像發現她那標緻的臉上掠過一絲恐懼。他心中有些納悶。「老陳剛剛在棚屋窗戶外面有重大發現。」他說。

「什……什麼？」她問。

「我想他不肯讓我告訴妳，」布萊蕭答道。「無論如何，現在還不肯。亞蘭・堅尼斯是個怎樣的人？妳對他並不十分了解，對吧？」

「幾乎完全不了解，」茱莉回答道：「我直到昨天早上才見過他。席拉是在大溪地遇見他的，我相信她很喜歡他。但是席拉喜歡過好多人，她甚至……喜歡我。」茱莉突然把頭別開，哭了起來。

布萊蕭站起來，把手放在她顫動不已的肩上。「好了，好了，」他不安的說：「妳不要哭，這樣會把我的宣傳事業整個破壞。威基基是個和平的地方，在這片彎如新月的海灘上，快樂超越一切。相信我這些話的觀光客，要是看到妳這副模樣要怎麼辦？」

「我……我很抱歉，」她啜泣道：「我快樂不起來，我做不到！」

「噢，妳當然做不到，我是說這個時候。但妳為什麼不看向未來？許多快樂的事就要來到了，妳只要往前看一點。」

「我，我不會再快樂的。」她說。

「別胡扯。我即將把世界變得歡樂起來，就像在觀光局為這座城市所做的那樣。等我們結婚……」

她推開布萊蕭的手。「我們永遠不會結婚。啊，太可怕了。我是個討厭的人，真的——而你竟然不會起疑。你會討厭我的，當你了解一切的時候。」

「別再說了！看著我。」布萊蕭俯下身去吻她。

「你不能這樣！」她大叫道。

「我一定要，」布萊蕭笑道：「這是我的職責。我打廣告說這裡是個浪漫的地方，假如我身體力行的話，這地方一定處處充滿了浪漫。現在妳聽我說，在一個禮拜或更短的時間內，這件案子就會結束，妳也可以開始忘掉這件事了。陳查禮隨時會解決這個案子的。」

「噢，你這樣想嗎？」

「他一定會的。你什麼事都瞞不過老陳。」

「我懷疑！」茱莉說。

「我有把握！」布萊蕭很確定的答道。

無緣分享到布萊蕭的信心，陳查禮這個時刻走進了格蘭飯店大廳，跟服務生招個手，立刻走到櫃台。

「我又來了，」他向櫃台人員說：「身為一名不消費的客人，我顯然太常在這裡出沒了。你能否告訴我亞蘭·堅尼斯的住房號碼？」

櫃台人員笑著告訴他，並且指了一下櫃台右手邊的客房內線電話。聽到那名英國人答話的聲音，陳查禮鬆了一口氣，客氣的要求兩人見面談一下，堅尼斯回答說馬上下來。

陳查禮以頗不尋常的快速度走到交誼廳。到了那裡一看，只有一個小服務生，是菲律賓人，偵探招手叫他過來。

「我想點兩杯柳橙汁。」他說。

「是的，先生，」男孩答道。

「我去陪你端過來。」男孩顯得有點畏縮，但他的角色可不是跟客人爭論。離開居住的叢林時，他便已經學到顧客至上的道理。

陳查禮跟著他走到餐飲部，在那裡遇到一位圍著白色圍裙的男人。

「我是檀香山警察局的陳督察，」他簡單的解釋道：「我想要兩杯柳橙汁，麻煩你拿兩個裝柳橙汁的杯子給我好嗎？」

那人倦得沒有工夫驚訝，就像他經常向老婆解釋的，都是這裡的氣候害的。他交出兩個玻璃杯，陳查禮從口袋拿出一條乾淨的手帕，勤快的擦拭起來。

「這要解釋，我這麼做並不是對你們有所挑剔，」他說：「不過我最近讀到有關病菌的報導，」他笑了一下，「一種非常危險的生命形態。」然而值得注意的是他關心的只是玻璃杯的外表，擦完之後，他把細心照顧過的東西小心的放在男孩端過來的盤子上，從口袋拿出二角五分給穿圍裙的那個人。「請你幫個大忙，把果汁倒進杯子裡，手指請不要接觸到杯子。」他轉向男孩。「你也一樣，明白嗎？手不可以碰到這兩個杯子，連同托盤端到我坐的地方。另外，等會給你小費時，我會做一下眼神，但是你不可以過來。」

回到交誼廳，陳查禮看到那名英國人已經下來了。「喔，堅尼斯先生，」他說：「很高興又見到你，昨晚睡得好嗎？」

堅尼斯瞪他一眼。「不，睡得不好，」他回答道：「但又怎樣呢？」

「十分抱歉，」陳查禮驚呼道：「威基基海灘可是舉世聞名的睡覺好地方喲，而身為檀香山的老在地人，碰到面子快掛不住時，我也有很深的痛苦。我們一起到沙發上坐好嗎？」

陳查禮坐下來時，沙發發出吱吱嘎嘎的抗議。

「沙發聲嘶力竭的向世界宣布說，我的體重過重了，」他和緩的繼續說：「我節食乃至斷食，但都沒效。該胖的就是會胖，唉，人幹嘛要讓體重合乎標準？那些全由別的來決定。」

堅尼斯在他身旁坐下來，「要我幫什麼忙嗎，陳督察？」

「把你留在這座島上，請你接受我再一次的道歉。有人說這裡是人間樂園，但我可以看得出，就算是人間樂園，對一個急著離去的人，也就不那麼好了。我要再次向你道歉，我保證會以最快的速度澄清案情，好讓你盡快出境。」

「那我就放心了，」堅尼斯點頭道。他拿出一個菸盒子，遞給陳查禮一根細條黑色雪茄。「哦，你不用？」他給自己點上火。「你案子有進展了嗎？」

「我碰到了困難，」陳查禮坦承道：「知道案情的人不肯講，肯講的人不知道案情。不過從事這行，那樣的情況早在預料之中。等到了最後一刻，我將能夠看到前方的微弱亮光。喔……」那菲律賓男孩端果汁來了，他把果汁放在前面的小茶几上。「不瞞你說，堅尼斯先生，我正在用柳橙汁控制飲食，現在喝果汁的時間到了，我也大膽替你點了一杯。」

「噢，不了，謝謝你，」英國人辭謝道：「我想不用。」

「點都點了，」陳查禮抗議道，語氣帶有一點慫恿的味道。「喝這種果汁對人體無害的，你該不會拒絕吧？」

「噢，謝謝你。」堅尼斯並不想喝些什麼，但是他知道這多麼傷害中國人的感情，他不能再進一步觸犯這個民族的特殊代表了。「你太客氣了！」他伸手去拿杯子。

陳查禮笑著舉起自己那杯。「祝案情水落石出，因你我都有相同的企盼。」他盡情喝了一口，放下杯子。「假如溫和的果汁讓人苦惱，我注意到從貴國來的人有多麼怨恨禁酒令。」

「什麼禁酒令？」堅尼斯問道。

「噢，你真愛開玩笑。唔，這是個高尚的實驗，但在很多人的想法裡，並不是新的。紀元前兩千兩百零五年中國有個帝王夏禹，他生平第一次嚐過酒之後說，這種東西會帶給老百姓很大的害處，於是下令禁酒。他這個政令一開始很有效，但下文卻湮滅在難以考證的史冊之中。中國啊，」陳查禮又喝了一口柳橙汁，「就像個豪客的荷包，幾經揮霍，到最後依然不至於破產。」

堅尼斯好奇的望著他，這個莫名其妙的警察專程來訪，只是想談論禁酒令的嗎？陳查禮察覺到他的眼神。

「不過回到我們的主題，」他說：「我想問你昨晚的事。你的運氣很不好，命案發生的時候，你沒有強而有力的不在場證明。據我了解，命案當時你正心情惡劣的到處亂逛是嗎？」

「恐怕是的！」堅尼斯承認道。

「從你離開馬提諾到海灘去，一直到他帶著噩耗找到你為止，你都自己一個人？」

「是的。」

「你這樣走著，總共走了多遠？」

「我只走到莫亞納飯店那裡，然後坐在一棵榕樹下面，努力思考我應該怎麼辦才好。」

「你並沒有——嗯，我們再喝一口好嗎？唔，很好！你並沒有走到席拉．費恩住的那裡，是嗎？」

「我剛剛告訴過你了，」堅尼斯回答道：「我最遠只走到莫納亞飯店那裡。正如我所說的，我在那裡坐下來想事情。等到比較平靜時，忽然想到也許我是白費力氣。一個那麼容易就被江湖術士左右的女人，我問著自己，她會滿足於只當人家的妻子嗎？她的生活離自我太遠了。我開始覺得整件事情到了最後，可能會落到只是我們自己在騙自己吧。於是我下定決心去搭午夜那艘船，可能的話，把整件事情忘掉。決定如此之後，我覺得好過多了。於是我往回走，經過風帆俱樂部，就在這家飯店外面，馬提諾碰到了我，告訴我那個可憐的女人遇害的驚人消息。」

「你坐在莫亞納飯店榕樹下的時候，有沒有人看見你？」

「恐怕沒有，我坐在黑暗的角落。」

「你有沒有到過棚屋，那個席拉．費恩遭到不測的地方？」

「沒有……我從未見過那個地方。」

「那你是否可能在其他時間去過那附近？譬如說，在窗外逗留？」

「唔，那不可能。」堅尼斯無需慫恿的拿起那杯果汁，一仰而盡。忽然他注視著陳查禮。「我說，你為什麼問我這個？」

「我想要縮小調查範圍，」陳查禮解釋道。「就這樣吧，謝謝你。你能告訴我下一艘開往美國本土的船是什麼時候嗎？」

「當然可以，」英國人回答道：「那是明天中午。我非常希望……」

「我會盡最大的努力，」陳查禮笑道：「雖然很多人看到我這樣子，都說我已經盡力了。」

堅尼斯笑了起來。「可別讓那個想法絆住你，」他說：「我知道你會拿出最大的本領的。噢，對了，昨天晚上我恐怕對你無禮了點，但我真的急於離開這裡，理由好幾個，不僅僅是在美國本土有生意要談而已，還有這整個駭人的事件。我不想跟這件事有任何關聯。現在我仍希望如此，你了解嗎？」

「我了解，」陳查禮一本正經的點頭，他左手碰觸著口袋裡那個信封。「希望你有個美好的早上。」他說道。

他佇立看著那個英國人穿越陽台，慢慢向海邊逛去。忽然他感覺到背後有人，及時轉過身去，但見一名駝背的中國老頭身穿傳統服裝走過來，腋下夾著小掃帚和小畚箕，正要把玻璃杯收走。

「嗨！」陳查禮抓住對方乾枯的手。「不要碰，否則神明要降罪給你。」他拿出手帕，將堅尼斯喝過的杯子小心包起來。「我要帶走這個，這件事與你無關。」

但顯然老頭認為跟他有關，因為他一直跟著陳查禮到了櫃台。「這東西我要買下來，」他一面說，一面把手帕包著的東西亮出來，「請教一下價錢。」

經理大笑起來。「噢，沒關係啦，儘管拿去吧。你在幹什麼呢，老陳？採集無罪客人的指紋？」

「你幾乎猜中了，」陳查禮頷首道：「只除了『無罪』兩個字或許不對。謝了，謝了。現在請你把這位老先生請開吧，他還以為抓到小偷了咧。」

經理對老頭講了幾句，老頭走了，口中還喃喃唸著。陳查禮聽出他講的可不是恭維，但是未加理會，趕緊出門去開他的車。

他陷入沈思的把車開回席拉．費恩的家。杯子上的指紋會不會和棚屋窗台上的指紋相符呢?如果相符,那他已經快要抵達終點了。

海迪克還在現場等候,陳查禮把剛剛到手的東西交給他,杯子上還餘有柳橙汁的味道。指紋專家立刻動手檢驗,不久他站在窗戶旁邊,一手拿著杯子,一手拿著放大鏡。陳查禮走過去,等待比對的結果。

海迪克搖搖頭。「沒有地方相像,」他宣布道:「你這回查錯線索了,老陳。」

陳查禮很失望的坐了下來。這麼說,昨晚進來這個棚屋的不是亞蘭.堅尼斯?整個情況看起來那麼吻合,直到此刻他還是一點都不懷疑。查錯線索了,嗯?他並不計較海迪克講話的方式,他自美國本土回來之後,警局的人就對他相當不友善。他們以為他在那裡辦過轟轟烈烈的案子,回來就會驕傲自大,其實他一點都沒有露出那樣的態度,然而卻無法讓那些人的嫉妒心理縮減。他還要被迫忍受許多暗藏敵意的玩笑。

查錯線索了,嗯?好吧,幹這一行誰不會偶爾走錯路呢?有誰是那麼了不起的超人,從來不犯錯呢?

查錯線索了。陳查禮陷入沈思,堅尼斯曾經在那扇窗戶外面,那一截他顯然忘掉的菸蒂足以為證。然而,把紗窗推開、爬進來的人卻不是他,那個人把指紋留在窗台上。

另一個人，誰呢？是誰曾經……

突然他「咚」的一聲打了自己的額頭一拳。「咳，我真是天大的白痴！我行動得太快了，也沒動腦筋想一想。每個人都在催我，連家人也一樣。而我並不是天生快動作的人。吃飯太快會弄破碗，速度太快的風會把鷹架吹垮。」他轉向海迪克。「昨晚那個海濱浪人在局裡留下的指紋紀錄哪裡去了？」

「噢，」海迪克答道：「我帶來了。」他從口袋拿出一個小牛皮紙袋，從中取出一個玻璃片。「你是在想……」

「是的，我在想……有一點遲，但我還是在想。」陳查禮說。他從同僚手中將玻璃片拿過來，趕緊走到窗戶旁邊。「快過來，」他喚道：「你的放大鏡——看！你的判斷如何？」

「兩個指紋一樣。」海迪克說。

陳查禮的小眼睛發出了勝利的亮光。「我總算有進展了！」他大聲說道：「史密斯，那個海邊浪人，昨晚上進來這個棚屋過！哈，我難道會一直查錯線索，還是我也有見到光明的時刻？」

【第十六章】一個警告

陳查禮一下子失去了冷靜超然的態度，彷彿受到這個新發現的鼓舞，不停的走來走去。

「史密斯，那個在海邊混的，」他又說了一次。「人類中的渣滓沖上了美麗島嶼的海岸線。一個衣衫襤褸的人，昨晚他在這個屋內好忙啊。我看啊，昨晚是史密斯一生中最大的日子。」

海迪克在收拾他帶來的吃飯傢伙。「好了，我想我也該回局裡了，」他說：「我給你們組裡同仁的事情可有得搞了，出去大幹一場吧。」

「哈，你真聰明，」陳查禮笑道：「偶爾忘記了一兩件事，結果讓同事提醒，然後你就展開報復了。你的確給了我們事情好做，請你立刻回局裡吧，我稍後也會回去，同時我要很恭敬的建議你對史密斯發出抓人通告。跟組長講，那個海邊浪人必須火速抓到局裡，不能耽擱。叫鹿島去好了。他是我們最熱心的搜查人員，更棒的是，他對地下社會的兔子窩和耗子洞都瞭如指掌。」

海迪克承諾會把話帶到，跟著便走了。陳查禮隨後也出來，看到布萊蕭和茱莉都在草坪上，於是走到他們身邊。「你要到城裡去嗎？」他問布萊蕭。

「謝了，我不去，」布萊蕭答道：「我今天自己開車，另外茱莉剛剛說服我留下來吃午飯。」

「祝她生命中沒有比這種說服更艱鉅的任務，」陳查禮笑道。「茱莉小姐，我並不想掃妳的興，但是要提醒的是，我很快就會回來。」

走到房子旁邊，耶索出現在涼台的門邊。「啊，長官，」他開口道：「我可以請你進來一下好嗎？」

看到管家一本正經的表情，陳查禮從那扇門進去。「有事情告訴我嗎？」

「是的，長官。麻煩請跟我來。」耶索帶路到靠近房子前頭的小接待室，比陳查禮先進入，顯然他對此事十分專注。「噢，很對不起，長官。這門我要關上，這樣我們好私下談談。」

「我的時間並不很充裕。」陳查禮說道。對如此細心的安排，他感到有些驚訝。

「這我知道，長官，我，呃，立刻進入主題。」口雖這麼說，他卻遲疑了一下。「家父曾經服侍一位待人苛刻的公爵四十多年，他在我年輕的時候告訴過我：『塞德列克，身為一個好的傭人，他每件事情都看到，每件事情都知道，但是嘴巴密不透風。』長官，我經過長時間的思考，決定把家父這個金玉良言擱在一邊。」

陳查禮頷首。「此一時，彼一時。」

「一點也沒錯，長官。我一向是個守法的人，更重要的是，我非常希望看到你查出案情的真相，而不會有太多的延誤——請容我這麼說。昨晚當你在詢問茱莉小姐有關翡翠戒指的事情時，我正好在玄關那裡忙著。不瞞你說，我聽到了，但是我敢保證絕對沒有不誠實的念頭。我聽到那位小女孩告訴妳說，費恩小姐昨天早上將那枚戒指交給她，而她——我是指茱莉小姐，一直把那枚戒指收著，直到你在她房裡找到為止。」

「茱莉小姐是這麼說。」陳查禮同意道。

「這我就完全無法理解了，長官。我不知道她意所何指，但事實我是知道的。昨晚大約七點，費恩小姐叫我去她的房間，交給我那封信，要我塔尼維諾先生一來就交給他。當她把信交給我時，我明明看見那枚戒指在她右手上閃閃發亮。這點我很肯定，長官，要我宣誓作證都可以。」

陳查禮沈默了半晌，他想到茱莉．歐尼爾，人那麼年輕，表情那麼無辜。「非常謝謝你，」最後他說：「你講的似乎十分重要。」

「我只希望它不會那麼重要，」耶索回答道：「我告訴你這個是很不得已的，長官。我對茱莉小姐一點惡意也沒有，她是個很可愛的小姐，真的是這樣，長官。我保持沈默了好久，但我忽然想到自己的職責肯定在相反的方向。我也跟你一樣，急欲看到兇手被繩之以法，因為費恩小姐一直對我非常好。」

陳查禮走到門邊。「我會立刻針對你的情報採取行動。」他說。

耶索看起來有點不安。「長官，如果可以不要提到我的名字……」

「也許不太可能！」陳查禮告訴他。

耶索歎了一口氣。「我明白了，長官。我只想再說一次，我肯定看到了那枚戒指。

我的視力好得很，以我這種年齡的人來說，這點大可滿意。」

他倆出去到玄關，女傭安娜正緩緩從樓上下來。陳查禮轉向耶索。

「再一次謝謝你，」他說：「現在你可以走了。」

管家到後面廚房去了，陳查禮在樓梯口等安娜下來。

「早啊，」他愉快的說：「我想跟妳談件事情。」

「好啊！」安娜回答說，她跟陳查禮走進客廳。

「妳還記得茱莉小姐昨晚講的那枚戒指的事嗎？」

「還記得，先生。」

「昨天早上費恩小姐把戒指交給她，她便一直保管著。妳對這點有什麼話要說？」

「噢，你這話什麼意思，先生？」女傭反問道。

「妳昨天沒見到費恩小姐戴那枚戒指嗎？還是她找妳拿別針別蘭花時，妳也沒見到她戴著？」

「有見到的話，我也沒留下印象，先生。」

「東西妳見到了，卻沒有留下印象？」

「你明白為什麼會這樣，先生。有些東西太常見了，你真的不會注意。我的意思是，戒指可能有戴在費恩小姐手上，也可能沒有，我恐怕說不準，先生。」

「妳希望這件事情就維持在這種狀態，無法解決？」

「就我所知，恐怕必須如此。」

陳查禮點個頭。「謝謝妳，就這樣吧。」

他從落地窗出去，緩緩穿越涼台。他無心去面對這件事，然而過去他碰到過許多事情，卻從來沒有卻步不前。踏上草坪，他朝向布萊蕭和那個女孩坐著的地方走去。

「茱莉小姐！」他開口道。女孩抬起頭來，一看到他嚴肅的樣子，整個臉立刻變得蒼白。

「是的，陳先生！」她低聲說道。

「茱莉小姐，妳告訴我說，那枚翡翠戒指是費恩小姐昨天早上剛到這裡就交給妳的。妳為何那樣講？」

「因為那是事實。」茱莉壯起膽來答道。

「那枚戒指昨晚七點還有人看到戴在費恩小姐的手上，這妳如何解釋？」

「誰說的？」女孩大聲說道。

「誰說的很重要嗎？」

「非常重要。看到的人是誰？」

「告訴我這件事的人，我認為很可靠。」

「你怎麼知道很可靠，陳先生？那是誰說的？不可能是狄克森小姐，那時她還沒上樓。那一定是傭人了。大概是耶索。是耶索嗎，陳先生？」

「是誰又有什麼關係！」

「但是我敢保證那很有關係。我跟耶索的關係處得不太好，之間的嫌隙有很長一段時間了，至少從他的角度看來是這樣。」

「妳可不可以解釋一下？」

「當然可以。我昨晚告訴你了，費恩小姐的傭人老在欺騙她，我剛開始當她祕書的時候，對這些都假裝沒看見，因為我不是愛搬弄是非的人。但是大約一年之前，她的財務出現嚴重的問題，於是我展開調查，發現耶索無恥的跟生意人串通舞弊，假帳亂報，並且從中分得了利益。

「我什麼也沒告訴費恩小姐，我知道那會怎樣，情緒失控、眼淚、相反的控訴，到最後可能還會來個認罪饒恕的大場面。她的心腸一向那麼軟。於是我去找耶索，告訴他我知道他在幹什麼，他必須停止。耶索很生氣，還告訴我說，好萊塢的其他傭人都在幹同樣的事，意思是說那是效忠主人的特權。但是當我威脅要告訴費恩小姐時，他退縮了，同意停止那樣的事。我想他也真的收手了，但是從那時起他便一直對我很冷淡，我也知道自己一定得不到他的諒解。這樣你明白我為什麼要問你是不是耶索講的吧？」

「那妳跟安娜的關係又如何呢？」

「噢，我跟安娜一向相處得很好，」茱莉回答道：「她非常腳踏實地，賺的錢都省下來買債券。她的錢都是規規矩矩來的，這我很確定，因為……」茱莉隱晦的一笑，「她很可憐，沒機會污錢。費恩小姐沒有一筆錢由她經手。」

茱莉臉色發紅，陳查禮注視著她好一陣子。「那妳想要重申，是費恩小姐昨天早上親手將戒指交給妳的？」

「那當然。那是事實，陳先生。」

陳查禮點了個頭。「茱莉小姐，我只能接受妳的說法。告訴我昨晚上見到那枚戒指的人，很可能被宿怨左右了——我當時有想到這一點。茱莉小姐，我個人認為妳這樣祕而不宣，真是太可人了。吉姆，咱們都嘗到了如此的妙味。」

「你相信哪一邊？」布萊蕭笑道。

「我相信咱們彼此，」陳查禮更正說：「好了，我不能再待下去了，以免破壞這個美妙的畫面。我們回頭見。」

他若有所思的回到他那輛車，在熱辣的太陽底下驅車離去。「好多條路彎來彎去的……」他好像在哪裡讀過這句話，不禁歎了一口氣。好多條路——他這輛小車最後能開上正確的那一條嗎？

快到格蘭飯店時，杭特立．范豪恩再度出現在他的腦海。他不願意那麼快又再度出現在這家飯店前門，於是把車停在馬路邊，進到飯店的庭園，向棕櫚林走去。最高的一棵椰子樹底下聚著一群興高采烈的觀光客，大家仰頭望著，陳查禮見是一位穿著紅色泳衣的衝浪少年，矯若猿猴的攀爬上樹。他站立了一會兒，欣賞少年的身手。

「那孩子身手很了得是吧，陳督察？」有人在他身邊講話。

他轉過頭，見是灰眼睛帶著笑意的范豪恩。兩人都站得離那群人稍遠些，好些個年輕女郎假裝在看少年的表演，卻不時對這位影星投以敬畏和仰慕的眼神。

「喔，是范豪恩先生，」陳查禮說：「碰到你真巧，我正想找你咧。」

「真的嗎？」演員仰望那棵大樹。「喔，他似乎最高只能爬到那裡了。我們到陽台——對不起，是涼台，去談好嗎？」

「這主意再好不過！」陳查禮同意道。他跟范豪恩走到涼台，選個僻靜的角落坐下。那個男孩已經從椰子樹上下來，站在群眾的中央，享受成為許多人注視和鼓掌對象的感覺。陳查禮注視著那位少年。

「有時候我對那些海灘男孩羨慕極了，」他說：「看到他們活得那麼快樂，無憂無慮，也沒有什麼困擾。嗯，那一定就是人家所謂活在世外桃源吧。他們的生活中只需要一件游泳衣，而且還有點破舊。」

范豪恩大笑起來。「我懂了，陳督察，你碰到了困擾。」

陳查禮轉向他，決定開門見山的講。「我是有困擾，」他頓了一下，「而你是其中之一。」他突然加進去說。

影星紋風不動。「你太抬舉了，」他回答道：「我如何困擾你呢，陳督察？」

「你困擾我的原因是在席拉・費恩命案裡，你這個角色最不設防。你不但沒有不在場證明，而且在所有的涉案人裡，你最靠近她死亡的現場。范豪恩先生，在最關鍵的時刻，你從屋外草坪經過。假如你是獨生子的話，我再擔心不過了。」

范豪恩滿臉笑容。「陳督察，你心腸太好了，我很感激。沒錯，我在這宗刑案裡的角色相當壞。但是我信得過你，你是個聰明人，一定了解我沒有絲毫動機去殺害那個可憐的女人。在參與這部片子的演出之前，我幾乎不認識她，而且整個大溪地之行我們兩人一起合作，相處得很愉快。」

「原來如此，」陳查禮急切的注視著演員的臉。「那你跟丹尼・馬佑的關係也不錯囉？」他問。

「丹尼・馬佑跟這件事到底有什麼關係？」范豪恩問道。他雖盡力裝作不太在意，卻不很成功。

「可能很有關係，我想要找出真相。」陳查禮對他說：「也許你能夠幫助我。我再問一遍，你跟丹尼・馬佑的交情不錯嗎？」

「我跟他交情很好，」范豪恩坦承道：「他很有魅力，是個狂放的愛爾蘭人，他下一步要幹什麼，你絕對想不到。每個人都很喜歡他，他的死是很大的震撼。」

「誰殺了他？」陳查禮若無其事的問。

「但願我曉得，」范豪恩答道：「我昨晚聽到你訊問每一個人三年前的六月在不在好萊塢時，總覺得你認為他的死也牽涉在本案裡頭。我很好奇，想知道其中的關聯。」

「那麼說來，你一大早急著跑去查閱馬佑一案的資料，無疑是這個緣故？」陳查禮問道。

范豪恩露出笑容。「喔，原來我看檔案的時候被你發現了？好吧，陳督察，就像我的媒體公關會告訴你的一樣，我是個好學的人。我最喜歡做的無過於窩在角落看一本好書，一本真正的文學作品，不瞞你說……」

陳查禮伸手表示不然。「聰明人應該懂得避開瓜田李下之嫌。」他說。

范豪恩點點頭。「你說的是古老的中國格言吧？意思不壞。」

「在我們離開這裡之前，」陳查禮堅持說：「你能告訴我今早為什麼要去圖書館吧？」

范豪恩並未回答，英俊的臉上皺著眉頭。之後突然下定決心的轉過頭來。

「陳督察，你已經先對我坦白了，我也同樣對你坦白吧。雖然你知道我去圖書館的理由，但我擔心你只會更加疑惑。」他從口袋拿出一個信封，上面印有格蘭飯店字樣，又從信封裡拿出一張信紙。「請你唸一下好嗎？」

陳查禮拿過那張紙，上面有幾行打上去的字，沒有署名。他唸道：

「這是來自朋友的一個警告。你應當立刻到檀香山公共圖書館，將刊載丹尼・馬佑謀殺案的所有洛杉磯報紙弄走，有對你非常不利的報導。」

陳查禮抬頭看著他。「這是從哪裡來的？」

「我今早起床時，在房門口的地板發現的。」演員告訴他。

「而你立刻去圖書館？」

「早餐過後直接去。誰不會這樣？我不記得報導說過我跟那件案子有關，那毫無道理。不過當然啦，我的好奇心被挑了起來。我到了圖書館，閱讀《洛杉磯時報》有關馬佑謀殺案的每一個字，那是該館唯一的洛杉磯報紙。奇怪的是……」

「嗯?」陳查禮引導道。

「不出我所料,我的名字在報上找不到。陳督察,我今早真的相當困惑。」

「這是當然的,」陳查禮點頭道:「真的是件怪事。誰會寫這封信你知道嗎?」

「想不出會是誰,」范豪恩回答道:「但目的似乎很清楚,有人想把嫌疑加在我頭上。如此精細的考量,我真的非常欣賞。他,或是她,知道我會到圖書館申請借閱,而你當然會立刻察覺,然後你就會認為我跟這整件事有很深的關係,於是浪費許多寶貴的時間往錯誤的方向去查。幸運的是,你選擇不尋常的方式立刻來質疑我,多虧你這麼做,而且我還真他媽的很慶幸保留了這封信。」

「即便那樣,也有可能是你自己寫的。」陳查禮指出道。

范豪恩大笑起來。「喔,那才不,我的心機可沒那麼深,陳先生。這封信在我起床時就塞進房門內了,你去查查看是誰寫的,也許可以發現殺害席拉.費恩的兇手。」

「那倒是,」陳查禮同意道:「信交給我吧。」他站起來。「范豪恩先生,我們相談甚歡,也謝謝你對我的信心。我的口袋又多了一道謎題待解了,再增加幾個,我看我會精神崩潰。相信並沒有耽誤到你的午餐吧。」

「哪裡的話，」演員回答道：「這場晤談對我來說太幸運了。再見了，竭誠盼望你能夠成功。」

陳查禮快馬加鞭穿越棕櫚林，最後發動汽車往城裡駛去。行進的同時，他沈思著杭特立．范豪恩，這位演員雖然有些裝腔作勢，卻似乎相當坦白誠實。但果真如此嗎？陳查禮感到懷疑。他對這個世界曾經那麼有把握過嗎？欺騙的種子撒遍每一個地方，像野草一樣長得異常茂盛。

如果范豪恩是誠實的，會是誰在他睡覺時將信塞進他門縫裡？陳查禮開始明瞭自己陷入一場競賽——一場性命相搏的競賽。他的對手快速而機警，比他漫長的警察生涯中所遭遇的任何人都要狡詐。這些線索中有哪些是假的，對手扔出來只為了讓他陷入苦惱？而又有哪些是真的呢？

一種體內的渴求告訴他，吃頓午餐會是個愉快的紓解；他絕不是會放棄這種激勵的人。但是車子快要開到公共圖書館時，一種更大的渴求襲擊著他——他好想親自閱讀丹尼．馬佑謀殺案的報導。腹中的饑餓一定會多折磨一下要務在身的人，他歎了一口氣，把車停住，走進館內。

櫃台這時候沒人，他轉到右邊的閱覽室。范豪恩早上借閱的那本大檔案還沒有歸架，它就放在那個演員早上盤據的桌子上。閱覽室除了一兩個毛頭孩子外，沒別的人。陳查禮立刻走過去，翻開那本檔案。

他忽然想起謀殺案發生的日期，於是立刻翻到案發第二天的那份報紙。他眼睛睜大起來。頭條新聞「影星於家中遭人謀殺」的標題底下，坑坑洞洞的景象令他訝然。

他趕緊檢查整部檔案，隨後靠回椅背，眼睛乾瞪著，有些難以置信的樣子。整部檔案裡面，每一張丹尼·馬佑的相片都被毫不留情的剪掉了。

【第十七章】丹尼・馬佑是怎麼死的

陳查禮一動也不動的坐著好半天，陷入了沈思。有個拚命三郎決心不讓他看到丹尼・馬佑的真面目。那些相片的圖說大部分沒被剪掉。「丹尼・馬佑初至好萊塢。」另一張：「丹尼・馬佑於《未知的罪惡》一片中的劇照。」但是報上刊登這位演員的每張相片都被剪了。

誰幹的呢？杭特立・范豪恩嗎？也許吧。但如果是那樣，范豪恩的手法也太過粗糙拙劣了，不像是彬彬有禮的紳士。這樣毫不客氣的走進圖書館來，開口借這份檔案，在借閱單上簽了名，卻把檔案剪得亂七八糟，真是天真得令人無法相信。這很快就會事機敗露，聽起來當然不像是范豪恩會幹的事。

陳查禮鬱悶的歎了一口氣，開始埋首於丹尼・馬佑新聞圖片四周的報導。這名演員原本在英國演舞台劇，跳槽到好萊塢後立刻一砲而紅。他和一名傭人住在獨門獨幢的房子裡，位在洛杉磯地段最好的一條街上。命案發生當晚，傭人在尋常的家務事做完之後放假外出。他是八點鐘走的，離開時馬佑還活得好好的。

等深夜返回時，傭人從廚房的後門進到屋裡，看到客廳裡點著燈，乃走去詢問就寢之前是否還有事情要做。卻發現演員倒在客廳地板上，死了大約兩個鐘頭。馬佑在近距離遭到槍殺，凶槍是他自己的，他一向放在書桌抽屜。槍在屍體旁邊找到，上面沒有指紋——沒有他自己的，也沒有那個不明人物的。凶宅四周有許多棵大樹，地點陰暗，沒有人看見是否有人進出。

糟糕的是第二天早上——陳查禮讀到這裡眉毛揚了揚——洛杉磯警方居然讓民眾前去弔唁。男女影星、導演、製片——他們都宣稱是死者的朋友，大批進入那幢房子，即使現場還遺有什麼重要線索，也很可能被輕易的破壞了。無論如何，並沒有找到什麼重要線索，警方所發現到的並未使案情有所進展。

馬佑的過去所知不多，他來自遠方，調查期間並沒有家屬出面說明。謠傳說他有個太太在英國，但兩人已經多年沒有見面了，馬佑也從未向朋友提到過她——說不定兩人已經離婚。馬佑在好萊塢的生活也沒有什麼出奇之處，很多女性仰慕他，即使他有所回應，態度也十分審慎。若說有任何人嫉妒……

底下的報導有一個人名攫住了陳查禮的眼睛，使他登時好奇的坐直起來。他趕緊讀下去：馬佑拍的一部電影當中，女主角名叫麗泰・蒙妲。蒙妲小姐當時已和威奇・巴洛訂婚，巴洛是檀香山的知名人物，當地名門之後。某個不知名人士作證說，他曾聽見馬佑和巴洛起口角，起因是馬佑曾經偕蒙妲小姐去參加一個派對。但證人說，巴洛並沒有威脅馬佑。

話雖如此，巴洛還是受到警方偵訊，他的不在場證明完美無缺，蒙妲小姐發誓作證。女星說，馬佑被殺當晚，她和巴洛從傍晚六點一直到深夜都在一起，兩人由巴洛開車，到距離命案現場很遠的一家路邊酒館跳舞。她坦承自己已經跟巴洛訂婚，很快就要結婚。

這對男女因而從焦點中消失。陳查禮繼續讀下去，旁觀被徹底打敗的警力歷經這毫無希望的曲折過程。他逐頁閱讀下去，沒有新的發展，在新聞記者口沫橫飛之中，這件命案慢慢的不了了之。

巴洛的不在場證明真相如何呢？一個即將嫁給他的女人發誓為他作證，這女人已準備為他說謊了嗎？

陳查禮將檔案闔上，回到圖書館的中央大廳，櫃台後面站著一位看起來很伶俐的小姐，陳查禮把檔案放在她面前，一言不發的打開來，手指著被剪的報紙。

假如他指的地方讓這位小姐大起煩惱，那也沒有辦法。這小姐倒是立刻打心裡頭發出驚恐的叫聲。「這是誰幹的，陳先生？」她問道。

陳查禮笑了起來。「謝謝妳對我的辦案能力那麼有信心，」他說：「但是我無法告訴妳。」

「這原本是范豪恩先生借去的，他是個演員。你知道，這種事情是違法的，你必須立刻逮捕他。」

陳查禮聳聳肩。「今早范豪恩先生離開一直到中午過後，這本檔案都放在那張桌子上面，我們有什麼證據說是范豪恩破壞的？他我清楚得很，我想他不至於那麼笨。」

「但是……但是……」

「請讓我用你們的電話打給他，他或許可以提供一點眉目。」

女孩帶他去打電話，陳查禮在飯店找到了范豪恩，立刻向對方說明他在那本檔案發現的狀況。

「你發現了多少？」范豪恩說。

「唉！非常的少，」陳查禮回答道。「那本檔案你看的時候還好好的嗎？」

「好好的啊，一點問題也沒有。九點半左右我把它放在桌上就走了。」

「你有沒有看到認識的人在圖書館裡？」

「沒有。但是陳督察，我得說這件事在我今早得到的那封信上面，投下了一道亮光。也許那位不知名朋友的意圖尚不至於把檔案帶走，而把我給拖下水。他──假如是男人的話，也許是希望事情正如眼前所發生的那樣，我把檔案申請出來，擱在他能夠看到的地方，而他卻無需填寫借閱單。這你有想過嗎？」

「那可有得想了，」陳查禮歎息道，「謝謝你提出的意見。」他回到櫃台。「范豪恩先生留下的是完好的檔案，這點他很確定。是不是今早還有別人看過這本檔案？」

「我不知道，」小姐回答道：「負責管理那間閱覽室的同事出去吃午飯了。陳先生，你一定得查出是誰幹的。」

「我現在正忙著調查命案呢！」陳查禮分辯道。

「你別管命案了，」她表情嚴肅的說：「這件事非常嚴重。」

陳查禮笑了笑，但是小姐她可沒心情陪他一起笑。陳查禮保證會盡力而為，之後便離開了。

看了一下手錶，他知道沒時間像平常那樣安安心心吃午餐了，於是改以三明治和牛奶果腹，吃完便到局裡去。他抵達的時候，組長正在刑事組裡面走來走去。

「老陳，」組長嚷道：「我正擔心你跑哪裡去了。今天早上非常忙是吧，我猜？」

「像熱鍋上的螞蟻一樣，急著想爬出來。」陳查禮回答道。

「有沒有進展呢？」

「拼老命查出了一些東西，」陳查禮告訴他：「但是還不知道是誰殺了席拉．費恩。」

「那才是我們要的，」組長頑固的說：「名字，兇手的名字。老天，我們必須快速進展。」

「我們也許會吧，」陳查禮回答道，對「我們」這個字眼稍有反應。他坐下來。「現在我要報告早上碰到了哪些事，也許在我腦中一片混沌的地方，你的慧眼會看出什麼苗頭。」

他從最前面開始講：到戲院去，鮑伯・懷菲的不在場證明確立牢固，但是他承認拿錢給那位海濱逐客，交換到一幅畫。接著講到在圖書館發現杭特立・范豪恩，之後去格蘭飯店，在陽台向那對老夫婦求證，他們毫不猶豫的說明塔尼維諾前一晚的行蹤。

「他們可能撒謊！」組長說。

陳查禮搖搖頭。「你要是見過他們就不會那樣說，他們眼神裡的那種誠懇，就像燈塔的火光那樣不會熄滅。」

「那個我要自行判斷，」他的上司說：「他們姓什麼？麥馬斯特嗎？我稍後找他們談。繼續。」

陳查禮接著講。他提到在棚屋窗戶底下發現一根菸蒂，會抽那種菸的人只有亞蘭・堅尼斯。

「天吶，」組長歎道：「那些人不可能統統捲進去的，老陳，一定是有人在耍你。」

「你又回頭用單數代名詞了，之前你用的是我們。」陳查禮笑道：「但我在想，只有在接近破案的關頭才會那樣。」

「好吧，那麼就說，一定是有人在耍我們。你自行抉擇吧。堅尼斯的指紋你弄到了嗎？」

「我設法弄到了，然而那卻是史密斯的指紋，那個海濱浪人的指紋在窗台上被發現了。」

「嗯，這是我們真正可以採取行動的事，剛剛我下令立刻抓他到案，現在他們隨時都可能將他帶到局裡來。在那之後你又做了些什麼？」

陳查禮重述了一次耶索的指證，並且指出，那也許只是一個糟老頭的報復手段而已。他把那封信拿給組長過目，范豪恩解釋自己就是因為那封信才會去圖書館。最後他交代《洛杉磯時報》那本厚厚的檔案被剪得亂七八糟，並以威奇·巴洛和他太太都在丹尼·馬佑的命案中出現作結。

講完之後，組長有好長一段時間悶聲不響。「好吧，」最後他說：「根據你的調查，我想那票人全在裡頭了。老天，你能從這裡面得到任何推論嗎？」

「請惠賜你的推論吧！」陳查禮戲謔的回答。

「你說我嗎？我不知道，我腦筋全打結了，但是你，我們警界的驕子……」

「好心一點替我著想吧，我辦案的速度一向沒那麼快。當被這種案情絆住時，我就苦苦的思考。噸位重的人會到達得遲些，寬限我一點時間吧。」

「那你現在要做什麼？」

「我去找巴洛太太來段社交拜會。」

「我的媽呀，老陳，你必須當心點。巴洛在檀香山非常有勢力，他對我一向不怎麼友善。」

「我會盡力施展外交手腕。」

「那是需要的，不管你幹什麼，都別惹到他。你也知道這些世家門第……」

陳查禮聳聳肩。「我住在檀香山這麼多年裡，可沒有不長眼睛。不用擔心，我現在一定會輕手輕腳的走路，甜言蜜語的講話。」

鹿島走進辦公室，步履蹣跚，神態有些沮喪。

「好啦，史密斯那傢伙呢？」組長問道。

「不知道在哪兒，組長，」鹿島說：「他像冰一樣融化不見了。」

「融化個鬼！你再給我出去找，人沒帶到就不要給我回來！」

「到處都找遍了，」鹿島埋怨道：「城裡面所有的聲色場所，樓上的，地下室的，就是沒有史密斯。」

陳查禮走過去，拍了拍鹿島的肩膀。「假如你第一次撲了個空，那就再來一遍。」他勸道，接著從書桌拿了張便條紙，在上頭寫了起來。「我開這張表給你，這都是些不入流的地方，有幾處你可能忽略了。」他解釋道：「比起你這樣的佛教青年協會榮譽會員，也許我對這個城市邪惡的一面了解得比你多一點。」

他把單子拿給那位日本人，鹿島拿了便走，陳查禮在後頭追加了幾句勉勵的話。

「鹿島真可憐，」陳查禮說：「燈裡面沒油的時候，燈芯是燒不起來的。跟這種人相處，打氣幾句會有最好的效果。現在我要更進一步去作困獸之鬥了。」

「我等著聽你消息。」組長在他背後大聲說道。

陳查禮動身前往馬諾亞山谷巴洛夫妻的家，市中心商業區遠遠被拋到後面，他奔馳在一條兩邊都是豪宅的街道上，那些豪宅都奠基在坡度和緩的草地。一棵棵開滿花朵的大樹在他頭上競豔著，花期很快就結束。潘納胡學院很快的過去，車子朝山谷深處進入，他離開陽光遍照的區域，進入幽暗的地帶。濃密的黑雲籠罩在山頭上，須臾，在風勢的助長下，大雨傾盆而下，猛烈擊打在小汽車的車頂上，擋風玻璃一陣模糊。然而在陳查禮背後一英哩外，檀香山在中天的陽光底下一片燦麗。

來到威奇·巴洛的華宅，麗泰在光線暗下來的客廳接待他。麗泰解釋說，她老公下午要去打高爾夫球，現在正在樓上換衣服。在檀香山，一個真正的高爾夫球愛好者是不會在意下不下雨的；他住的那條街也許正在下雨，但是前頭一轉角就是陽光普照的天地。麗泰的態度十分熱誠，陳查禮鼓起了勇氣。

「很抱歉冒昧跑來打擾，」他致歉道：「假如你們不用再看到我的話，相信心裡會舒坦些。但話說回來，昨晚發生的那件不幸，我必須跟每一位在場的人談一下，這個純屬例行公事。」

麗泰點點頭。「可憐的席拉！陳督察，你偵辦得怎樣了？」

「頗有進展，」陳查禮愉快的說，但他覺得現在不適合談這個。「我可以請妳談一下從前在好萊塢大出風頭的日子嗎？」

雨水擊打在玻璃窗上，麗泰帶著無聊的眼神望著。「當然可以！」她說。

「請容我補充一下，我的大女兒是個道地的影迷，當妳息影時，她感到非常傷心，老在怨歎說，再也不會有人比妳更會演戲了。」

麗泰容光煥發起來。「她還記得我嗎？我聽了好高興。」

「妳那精湛的演技永遠不會被人忘記的。」陳查禮滿口說道，心知這樣又交了一個朋友。

「你想知道些什麼？」她問道。

陳查禮想了一下。「妳在好萊塢認識費恩小姐嗎？」

「噢，是的，我們很熟。」

「人若是聰明的話，絕不會去講那些青雲得意者的壞話，但是我們有時候必須將這些老規矩擱一邊。席拉・費恩是否有過不太好的傳聞？」

「噢，從來沒有。你知道，她不是那種人。」

「但是她總有惹上妳所謂的感情轇轕吧？」

「那倒是常有。她很容易動感情，又任性，感情的瓜葛一直不斷。但是我敢肯定，那些瓜葛都不算嚴重。」

「妳有沒有聽說過她曾經愛上一個人，那個人叫做丹尼・馬佑？」陳查禮注視著麗泰的臉，她似乎略顯驚訝。

「啊，是的，我相信席拉一度對丹尼非常迷戀，當丹尼被……殺害時，她非常的傷心。那件事你也許曉得吧？」

「我十分清楚。」陳查禮緩緩答道，但是令他失望的是，女人聽了這話之後似乎相當平靜。「妳跟丹尼・馬佑也認識吧，我想？」

「是的，我在他最後一部片子裡面參與演出。」

陳查禮忽然有個靈感。「妳是否保有馬佑的照片？」

她搖搖頭。「沒有，本來我有一些從前拍片的劇照，但是巴洛先生硬要我把它們燒掉。他說過去雖然甜蜜，但過去的都過去了，他不要我一直沈緬於其中，尤其當我——」

她停下來，眼睛看著門口。

陳查禮順著她的眼神看去，但見身穿高爾夫球服裝的威奇・巴洛站在門口，他神情不悅的走進客廳。

「丹尼・馬佑又怎麼啦？」他質問道。

「陳先生只不過問我是否認識他而已。」麗泰分辯道。

「陳先生應該關心他自己的事！」他丈夫咆哮道。大財主走過來面對陳查禮。「丹尼・馬佑已經死了，」他說：「他已經埋進土裡了。」

陳查禮聳了聳肩。「我很抱歉，他並沒有下葬。」

「他怎麼樣了，都跟我和我太太沒有相干。」巴洛回答道，語氣中帶有威嚴。

陳查禮惺忪的望著對方充滿敵意的眼神半晌。「馬佑被殺那天晚上，」他大膽的說：「你舉出的不在場證明似乎滿漂亮的。」

巴洛臉一下紅了起來。「那有什麼不對？那是事實。」

「自然它達到效果了。」陳查禮向門口走去。「很抱歉，如果我打擾到你們……」

「你一點也沒有打擾到我，」巴洛嘖道：「你到底想在我這裡找什麼？」

「我想碰碰運氣，也許能看到丹尼・馬佑的照片。」

「你為什麼要看到他的照片？」

「某個不明人士阻撓我看到它。」

「哦？」巴洛說：「你不會在我這裡看到馬佑的照片，或是其他讓你感興趣的東西。再見吧，陳督察，還有我必須請你別再來了。」

陳查禮聳一聳肩。「只要任務需要，哪裡我都去。能夠的話，我寧可懶懶的待在辦公室——但是你人在地毯上，學得會游泳嗎？不行的，你必須跑到水夠深的地方。再見，巴洛先生。」

麗泰陪他走到玄關。「恐怕我們幫不了什麼忙，」她說。

「但還是要謝謝你們。」陳查禮行個禮。

「我很遺憾，」女人又說：「我很希望你能破案，只要是我能夠做的……」

陳查禮瞥見她手上的戒指亮了一下。「應該是有。」他忽然說。

「任何事都可以。」她回答道。

「妳和席拉・費恩小姐是分開多年之後，昨晚才又重聚。妳們女人看女人，匆匆看一眼，一定能看到許多男人忽略的地方。她身上穿戴了哪些東西，妳一定都記得吧？」

「噢，當然記得。她身上那件晚禮服很亮眼——象牙白色絲質的，那件……」

「我是指她身上戴的所有首飾，」陳查禮對她說：「沒有女人會不去注意另一個女人身上的珠寶吧？」

麗泰露出了笑容。「我當然不會。她戴了一串很漂亮的珍珠項鍊，以及一個鑽石手鐲……」

「那戒指呢？」

「只戴了一個。那是一枚很大的翡翠戒指，我記得那是在好萊塢看過最大的，當時正戴在她右手上。」

「這是妳最後一次和她在一起時看到的嗎？那幾個年輕人當時還在海裡頭玩？」

「茱莉和那個小伙子，是的。」

陳查禮深深的行了個禮。「我的感謝無窮無盡。現在我必須去幹活了，再見。」

他走入山谷的漫天大雨之中，將車子掉個頭，駛向陽光燦爛的海邊。

【第十八章】飯店服務生的說法

茱莉和吉姆．布萊蕭坐在威基基白色的沙灘上，凝視著眼前的大洋，從這片蜿蜒的海灣一直到南太平洋的環礁之間，生命顯然一片空白。

「唔，看來我最好到城裡一趟。」小伙子說。他打個呵欠，躺下去，眼望著一朵朵白雲懶洋洋的飄浮過蔚藍的晴空。

「好一位充滿活力和幹勁的年輕人！」茱莉笑道。

他抖了兩下。「妳真掃興啊，小姑娘，在威基基海灘上講這種話，想必是本地的精神我給了你不太完美的印象。我們在這裡徜徉，在這裡夢想……」

「但是你將什麼地方也到不了！」茱莉責備道。

「我已經到達了，幹嘛還要振作起來？」他回答道：「當你人在夏威夷的時候，你已經沒有地方需要去了。你已經來到了天堂，改變未必就能更好。所以妳只要坐下來，等待地老天荒。」

茱莉聳了聳肩。「是那樣嗎？唔，我恐怕消受不了。沒錯，來這裡度假是很好，這個地方完全如你形容的那樣。但是永久定居……」

布萊蕭突然坐起來。「老天爺，妳是說我推銷的妳並不能接受？我是有史以來最偉大的風景描寫聖手，然而這輩子最大一筆交易卻失敗了。吉姆．布萊蕭踢到了鐵板，而且是當面吃癟，太不可思議了吧！我哪裡犯錯了呢，茱莉？我沒有讓妳感受到這個島的美嗎？」

「這裡美是美，」女孩回答說：「但是對一個人性格上的影響又如何呢？在我覺得，當你停止前進的時候，就落後了。」

「是啊，」布萊蕭笑道：「我有一次去參加扶輪社的午餐會，地點在美國本土。乖乖，我們必須求進步，否則就要毀滅。去年我們生產了一千萬條束帆索，今年就增加為一千五百萬條吧。讓人知道美國束帆索的厲害。從我這邊……」

「你剛才說要回去上班的事情怎麼了？」

他搖搖頭。「我本來以為妳扮演的是伊甸園的夏娃，想不到卻變成那條毒蛇。回去上班是我們本地人絕不會幹的，只要那些可憐的傢伙不出門，我們絕不會將他們搖醒。」

「我剛剛指的就是這個，吉姆。」

「但是親愛的雷格里太太，妳要做好事情並不需要固守在辦公桌上，躺下來妳一樣可以把事情處理好。譬如說，一分鐘前我已經擬好一份吸引觀光客的最新訴求：『來喲，讓笑臉盈盈的花姑娘為你戴上花環，到威基基試試駕御浪潮的身手，或是只懶洋洋的憩息在——』」

「噢，是了，那是你比較願意做的事。」

「『迎風搖曳的椰子樹下。』妳不喜歡我們的椰子嗎，茱莉？」

「它們是很有趣，但是我比較喜歡紅杉。吉姆，你在紅杉森林裡深深吸進一口氣，就會想要出去外面打天下。我的意思你懂嗎？這個地方對於屬於這裡的人來說，或許很好，但是你，你來夏威夷多久了？」

「兩年多一點。」

「你剛來的時候有打算待下去嗎？」

「喔，好了，我們現在別談這個。」

「你當然沒打算那樣。你只是在最沒有抵抗的情形下從事了這一行，難道你從來不想回去美國本土，打拼自己的事業？」

「噢，最初呢……」他停下來半晌。「唉，看來我推銷夏威夷失敗了，這將會是我心頭永遠的痛，但是還有更重要的事。我推銷自己成功了嗎，茱莉？我喜歡妳，只要妳說個——」

茱莉搖搖頭。「好了，我們現在也別談這個，吉姆。我並非你想的那樣，我很惹人厭的，不騙你，我……噢，吉姆，你不會肯娶一個……一個說謊的女人的，你肯嗎？」

他聳了聳肩。「職業性的騙子當然不肯。但是像妳這種笨拙的業餘說謊者——為什麼，妳一點經驗也沒有，卻還要這麼做。」

茱莉嚇了一大跳。「你這話什麼意思？」

「那枚戒指啊。天可憐見，妳為什麼要那樣做？我的腦筋從沒像今早那麼清楚過，至於說老陳——欸，他對妳那麼禮貌，我真是佩服。我相信妳連一分鐘也沒有騙過他。」

「啊，天吶，我還以為我表演得不錯。」

「究竟是怎麼回事，茱莉？」小伙子問道。

茱莉眼眶充滿了淚水。「這是為了……可憐的席拉。當我身無分文、舉目無依的時候，她接納了我，她對我那麼好。為了她，我什麼事情都捨得做，何況是撒個小謊。」

「我不會要求妳講下去的，」布萊蕭說：「因為我用不著。別回頭看。現在檀香山警察局的陳督察正迅速朝這裡走來，看他走路的樣子，我覺得現在是向妳攤牌的時候了。打起精神來吧，小女孩，我支持妳。」

陳查禮帶著親切的笑容加入了他們。「看來我不是很受歡迎，但是我無論如何要加進來。」他坐下來，面對著女孩。「茱莉小姐，妳對我們這個海灘有何觀感？這裡是慵懶的區域，這樣懶洋洋的，妳到目前為止還適應得來嗎？」

茱莉注視著他。「陳先生，你來這裡並不是想談論這片海灘吧。」

「的確不是，」他坦承道：「不過我很相信談正事前先來段開場白，感覺上比較不那麼粗魯。打個比方說，我一跨過來就大聲喊說：『茱莉小姐，那枚翡翠戒指的事，妳為什麼要騙我？』這樣就很突兀了。」

茱莉的臉頰紅了起來。「你認為我……撒了謊嗎？」

「不只是認為，茱莉小姐。我知道真相。昨晚妳跳進前面的海水很久之後，不只有耶索看到那枚戒指戴在費恩小姐手上，別人也看到了。」

茱莉沒有回答。「妳最好坦承吧，茱莉，」布萊蕭勸道：「這是最好的方法。老陳還是妳的朋友啦。是不是呢，老陳？」

「我必須承認，經過考驗的友情會顯著滋長，」陳查禮肯定道。「茱莉小姐，費恩小姐昨天將戒指交給妳去換取現金，這不是真的吧？」

「噢，是真的，那個部分是真的。」茱莉堅持道。

「之後她又將戒指拿回去？」

「是的，那是大約中午，她和塔尼維諾見面回來之後。」

「她拿回去，死的時候還戴在手上？」

「是。」

「悲劇發生後，妳又拿回來保管？」

「是的。當時我和吉姆去找她，我進到棚屋裡，跪在她身邊，就是那時候把戒指拿下來的。」

「為什麼？」

「我，我不能告訴你。」

「妳是說，妳不肯告訴我？」

「我不能講，也不願意講。我很抱歉，陳先生。」

「對於這樣的事，我也深感遺憾。」陳查禮沈默了好長一段時間。「妳會拿下那枚戒指，是因為戒指裡面刻的『丹尼』那兩個字嗎？」

「啊，你知道有關丹尼的什麼事？」

陳查禮突感好奇的坐直。「我告訴妳好了，這樣妳或許願意坦白。據我所知，丹尼．馬佑在洛杉磯被殺的那晚，席拉．費恩就在馬佑的家裡。所以，她知道兇手是什麼人，而糟糕的是，她非常想隱瞞這一點。或許妳也為了幫她隱瞞，而希望丹尼．馬佑這名字被屏除在各種討論之外。保護朋友的名譽是一種很自然的欲望，但是妳也明白，妳這個努力並沒有成功。現在妳可以說出來了吧，這並不會傷害到妳那位恩人。」

女孩低聲哭了起來。「好吧，我想我最好告訴你事實。那些事你全都知道了，我感到很遺憾。我原本希望丹尼・馬佑盡量不要被扯進來。」

「這麼說，妳知道費恩小姐過去這段不可告人的事？」

「我懷疑其中的事態非常嚴重，但真相如何我並不知道。丹尼那個事件發生時我年紀還很小，才剛剛到席拉那裡。出事的那晚，席拉回家的時候整個人非常歇斯底里，只有我一個人陪著她。我盡可能照顧她，有好幾個禮拜她簡直變了個人。我知道她跟馬佑的命案有某種關聯，但一直到現在我仍不知道真相為何。我剛剛說過，那時我沒多大，但卻懂得不要去問。」

「那昨天呢？」陳查禮誘導道。

「昨天正如我告訴過你的。早上她說她必須立刻有一筆錢用，因此給了我那枚戒指，要我去賣。然後她去格蘭飯店找塔尼維諾，但她回來時整個人又處於歇斯底里的狀態。她找我去她房間，當時她不斷的走來走去，我想像不出發生了什麼事。她一開口就大聲喊說：『茱莉，他是個魔鬼！那個塔尼維諾是個魔鬼——我真希望我沒去找過他。他告訴我發生在大溪地和船上的事，他怎麼會知道的，他把我嚇死了。而且我又做了一件非常可怕、非常愚蠢的事，茱莉，我一定是發瘋了！』她當時語無倫次。我問她怎麼一回事，她就說：『茱莉，妳把那枚翡翠戒指給我，我們不能賣了。丹尼的名字刻在裡面，我現在不想聽到任何人提到這個名字！』」

「妳說她整個人歇斯底里的？」

「是的，她常常那樣，但這次更嚴重。她對我說：『茱莉，丹尼．馬佑不肯死，他還要回來，讓我無法做人！』然後她就催我去拿戒指，我當然去拿了。席拉又說，晚一點我們再找別的東西賣，當時她的情緒太過激動，根本無法討論這個。到了下午，我看到她拿著丹尼．馬佑的相片在哭。」

「啊！」陳查禮脫口道：「那張是丹尼．馬佑的相片，裱褙在綠色的紙板上？」

「是的。」

「請接著說。」

「昨晚和吉姆在棚屋那裡發現這件不幸時，」茱莉接著講：「我立刻想到席拉的話，丹尼．馬佑還會回來，讓她無法做人。我於是想，丹尼的死一定和席拉被殺多少有點牽連。除非丹尼．馬佑的名字不被人知道，否則不知道會有什麼不可告人的事被掀開來。所以我把丹尼送的戒指從她手上取下來，不久，當我聽到那張相片被提及，我就趕緊跑上樓去將相片撕成碎片，藏在一個盆景底下。」

陳查禮的眼睛睜得大大的。「原來那件事是妳幹的？而稍後，那些碎片被吹得滿地時，也是妳把其中一部分藏了起來？」

「噢，不是，你忘了嗎，當時我不在客廳。即使我在，腦筋反應也沒那麼快，有人在那關鍵時刻幫了我一臂之力。是誰呢？我一點線索也沒有，不過聽到相片的碎片有很多不見了，我倒是挺高興的。」

陳查禮歎了一口氣。「每件事情都讓妳耽擱了一下，害我浪費許多寶貴的時間。」他說：「妳對那個死去的女人那麼忠心，我倒是很欣賞。」他頓了一下。「咳，我應該很高興認識這樣一個女人，你看看居然有人對她那麼忠心：一個單純的女孩子膽敢阻撓警方辦案，為的是捍衛她的記憶；一個不可能做這件事的男人卻要求警方把他當作兇嫌逮捕，動機無疑也是一樣。」

「你認為那些相片碎片是鮑伯·懷菲拿走的嗎？」布萊蕭問。

陳查禮搖搖頭。「不可能。那時他還沒有來到現場。唉！問題沒那麼簡單。一點也不單純！」他歎息道。「恐怕我還沒把這個謎團解開，整個人就被整得剩下皮包骨了。

光是為了妳，」他看著那女孩，「我至少耗掉體重七磅。」

「我很抱歉！」茱莉說。

「別激動！我那幾個女兒老是說就美好的事物而言，我實在太龐大了。美好的事物當然是我追求的唯一目標。」他站起來。「好吧，就這樣了，吉姆，可別讓這位小姐跑了，她證明了自己是個忠心耿耿的人。還有，她是我見過撒謊技術最爛的騙子。對於某人卻將是個不得了的妻子。」

「希望那個某人就是我。」布萊蕭笑道。

「我也希望如此。」陳查禮轉向那位女孩。「妳接納他吧，這樣我們之間的事就一筆勾銷，那七磅體重我也很樂意捐出來。」

茱莉笑了起來。「那倒是個貢獻。噢，陳先生，我們之間的每一件事都解決了，我好高興。我並不想欺騙你，你人那麼好。」

陳查禮行了個禮。「聽到這樣的話，連老公公的心臟都會砰砰跳呢。妳給了我新的勇氣繼續走下去，走到哪裡呢？唉！未來蒙上了一層布幔，而我又不是未卜先知的塔尼維諾。」

他留下他們在一棵黃槿樹下，緩緩走向停車的地方。從車道出來時，他險險撞上一輛電車。「沒長眼睛啊，混蛋！」司機生氣罵道，但認出是警察局的人，卻又假裝沒講過這樣的話。陳查禮向他招一招手，把車開上路。

偵探現在迷失在一片曖昧不明的五里霧中。翡翠戒指的疑雲終於解開，但是距離破案的目標還遠得很。茱莉的話裡面有一點讓他深感玩味，原來昨晚他想要拼回來的相片是丹尼．馬佑的。

到目前為止，他認為有人不願讓他得知那相片中人是誰，而席拉．費恩為了相片中人痛哭流涕。但是圖書館檔案裡的照片遭到破壞，動機有可能不同嗎？這兩件事無疑是同一個人動的手腳，這個人痛下決心不讓陳查禮人看到丹尼．馬佑的長相，為什麼？

陳查禮決定回到最前面，重新體會一下這個案子。但是隨後他又停了下來。如此慵懶的午後，做這樣的事太費力了吧？「什麼都別想可能更好，」他喃喃說道：「我要停止一切活動，讓疲憊的頭腦恢復敏銳的狀態。也許在自我休息的情況下，潛意識會找到機會，並且加緊動工。」

在停止勞心的狀態下，他把車拐進格蘭飯店的車道，停好了車，懶懶的走進飯店前門。大廳這個時刻沒有一個客人，一陣涼風迎面吹來。

山姆，那位享有領班頭銜的中國服務生相當機警，立刻露出了笑容。陳查禮停下腳步，他有個小問題想問山姆。

「你還好吧？」他開口道：「你在這裡混得不錯，對吧？」這是他所謂的開場白。

「很棒的工作，」山姆笑道：「小費很肥。」

「那個人家稱他塔尼維諾大師的人你曉得嗎？」

「很好的一個人，我跟他很熟。」

陳查禮注視著服務生。「你早上為什麼對他講廣東話？」

「他前兩天剛來的時候，說他在中國住過很長一段時間，很能聽中國話。我跟他用廣東話聊了一下，他講得不是很好，但是聽沒有問題。」

「今早他似乎聽不懂你講的話。」

山姆聳了聳肩。「這我就不知道了，我今早講的也跟前兩天一樣，他做了很好玩的表情，還說什麼聽不懂。」

「這些觀光客真是奇怪！」陳查禮笑道。

「是很好玩，」山姆同意道：「給的小費也很大方。」

陳查禮慢慢逛到交誼廳，又出去外面陽台，找位子坐了下來。

他腦筋放的假短得可以，現在又苦苦思考了起來。原來塔尼維諾聽得懂廣東話啊。但是他卻不願意陳查禮知道他聽得懂，為什麼？他不是很熱心在協助陳查禮追查殺死席拉·費恩的兇手嗎？

陳查禮圓胖的臉上慢慢漾開了笑容，終於出現一個十分簡單的問題。塔尼維諾最早的協助是指出手錶指針被往回撥過，所有八點零二分的不在場證明因而失效。

假如陳查禮跟廚子老吳的對話，他沒有聽到，也沒有聽懂；假如他並未得知老吳在八點十二分的時候見過席拉·費恩，手錶指針的時間因而無用；這樣他會把這件事指出來嗎？他在當時亮出偵探的破案技巧，這點可以證明他的誠意，但是他若聽得懂廣東話，那他不過是做不得不做的事好居功，絲毫沒有誠意可言。

陳查禮坐了好長一段時間，再三思索著這件事。塔尼維諾大師這位熱心的助手，真的像他表現出來的那麼熱心嗎？

【第十九章】塔尼維諾的援手

電影導演瓦爾・馬提諾從飯店交誼廳的台階下來，他穿著白色絲質西裝，鮮豔的領帶搶眼得很。某些輪船雜誌應該請他當封面人物，以招徠舉棋不定的觀光客來熱帶地方玩。他的眼睛落在陳查禮身上，只見這名警察正舒適的斜靠在椅子上，一臉對外界事物毫不關心的樣子。導演立刻向陳查禮走去。

「陳督察，」他說：「沒想到你會那麼悠閒，難不成你已經把昨晚的案子解決了？」

陳查禮搖搖頭。「運氣沒那麼好。謎依舊是謎，但卻騙不了人。我的腳雖然處於靜止狀態，腦筋卻不停在動。」

「我很高興聽你這麼說，」馬提諾回答道：「希望很快就會有所進展。」他坐在陳查禮旁邊的椅子上。「你知道昨晚的事把我那價值二十萬美元的電影給毀了，我必須搭下一艘船趕回好萊塢，看要怎樣善後。說真的，我們公司最關心的不是誰殺了席拉，否則他們會一直等候我把這裡的事情了結。噢，好吧，現在講這個一點用也沒有。但是我必須盡快離開這裡，所以我才會一再要求你馬上偵破這個案子。」

陳查禮歎了一口氣。「每個人都似乎罹患了快速情結，這在夏威夷十分罕見，為了跟上頻率，我跑得喘死了。我能不能問一下，你對這個案子有何看法？」

馬提諾點燃一根香菸。「我一無所知。你呢？」他把火柴棒丟在地板上，那個帶著掃把畚箕的中國老頭立刻走來，對陳查禮投了個眼色，好像是說：「你身邊就會出現這種人。」

「我的看法尚未成形，」陳查禮說：「有一件事情倒是知道：這裡頭有個聰明絕頂的人在跟我作對。」

導演點點頭。「我看也是。昨晚在席拉．費恩那裡的某個人就聰明得很。」

「閣下也是其中之一。」陳查禮大膽的說。

「謝啦。那當然要經過你認可才行，不過那倒是事實。」他笑道：「剛才我說裡頭有某個聰明人，這話當然是私底下講的，那傢伙的腦筋我可一點都不懷疑。我並不喜歡他，但是我一直認為他很會做人，我指的是塔尼維諾大師。」

陳查禮點點頭。「是的，他十分機智。跟他談過一次之後，我便有這種想法。」

導演將菸灰彈到地板上，中國老頭拿來一個菸灰缸，放在他身邊的小茶几上。

「好萊塢有各式各樣的占星家、算命仙靠著迷信大撈特撈，」馬提諾接著說：「而這傢伙是個中翹楚。很多女明星跑去找他，他告訴她們的事情裡頭，很多是她們以為只有上帝才會曉得的。其結果……」

「他怎麼發掘這些事情呢？」陳查禮問道。

「利用眼線，」導演答道：「這我無法舉證，但是我相信有很多眼線夜以繼日的為他工作。他們蒐集名人的趣聞，匯報給他，那些可憐的女明星便認為他跟黑暗世界的勢力有所掛鉤，到最後便徹底交心。這傢伙知道所有的祕密，只要他想的話，就可以把好萊塢搞得天翻地覆。我們也試過把他趕走，但是對我們來說，他太精明了。你知道嗎，當昨晚堅尼斯想對塔尼維諾動粗的時候，我很後悔阻止了他。我相信那是個很棒的點子，但在另一方面，席拉的名字就會被捲進去，一想起這點，我就阻止了他們的爭端。

拍電影是我的職業，這一行有許多不錯的人，我不想看到他們在惡質的大眾傳播底下受害。不幸的是，那些混混為非作歹，清白的人卻必須分擔惡名。」

「你這話是暗示，」陳查禮問：「席拉．費恩說不定是塔尼維諾大師殺害的囉？」

「不對不對，」馬提諾緊回答道：「請別誤會我的意思。我只是試著指出，假如你覺得這件案子裡面有一位聰明的對手，那你應該記得，很少有人會比算命的更聰明。再進一步的，我可什麼都沒說，我並不知道人是不是他殺的。」

「昨晚八點到八點半這段時間，」陳查禮對他說：「塔尼維諾擁有無可搖撼的不在場證明。」

馬提諾站了起來。「他應該有吧。就像我跟你講的，他可滑頭得很。就這樣吧，咱們回頭見，祝你好運，我這話可是真心的。」

他緩緩向閃閃發光的大海走去，留下陳查禮轉動著念頭。未幾偵探突然下定決心的站起來，朝大廳的電話亭走去。他打電話給他的組長。

「你現在很忙嗎？」他問。

「不特別忙，老陳，我跟麥馬斯特夫婦約好了五點半見個面，距離現在還有一個小時。有什麼事嗎？」

「也許有吧，」陳查禮回答道：「我也不太確定。不過我要仰賴一下你的特權，在格蘭飯店來個小小的調查。假如你立刻開車過來，那就再好不過。」

「我立刻過去，老陳。」組長答應道。

陳查禮走到內線電話機旁，打到亞蘭・堅尼斯的房間。那名英國人回話的口吻充滿了睡意。陳查禮通知他要立刻上去找他談個話，隨後向飯店櫃台走去。

「不打內線電話，你們也能確定塔尼維諾先生人在不在嗎？」他問道。

門房朝郵箱望了一眼。「唔，他的房間鑰匙不在，」他說：「我想他人在房裡。」

「噢，原來如此，」陳查禮點點頭：「我想請你幫個忙，打個電話給塔尼維諾先生，就說陳督察匆匆忙忙經過這裡，沒能去打擾他，但你要補充說，我很想盡快跟他見個面，地點在城裡的青年旅館大廳。你得告訴他這件事非常重要，他務必立刻趕到那裡。」

門房愣了一下。「城裡？」他重複了一遍。

陳查禮點點頭。「我想暫時把他調離開這個飯店。」他解釋道。

「噢，是，我懂了。」門房笑道：「我想沒有問題，我這就打電話給他。」

陳查禮上樓去亞蘭．堅尼斯住的房間，那位英國人讓他進去，一面還打著呵欠。堅尼斯穿著長睡衣和拖鞋，床舖還有點凌亂。

「請進吧，陳先生。我剛剛小睡了片刻，老天，這個地方真讓人愛睡！」

「對馬里希尼，也就是外來客而言，確是如此，」陳查禮笑道：「我們這些老居民已經學會別去注意這種召喚，否則什麼事都不能做了。」

「那你已經有進展了嗎？」堅尼斯關心的問。

「我不想這麼講，不過為了夏威夷的面子，我們正以相當不錯的速度在進行著。」

陳查禮回答道：「堅尼斯先生，我來這裡找你，心情是很坦蕩蕩的。我打算把手上的牌攤在桌上。」

「那好極了。」堅尼斯由衷的說。

「你今早告訴我說，你並沒有進去棚屋，甚至連棚屋附近你也沒有走近？」

「那當然，這是事實。」

陳查禮拿出一只信封，從裡頭倒出一根小雪茄的菸蒂。「那樣的話，這東西是在席拉·費恩遇害的棚屋窗戶外發現的，這你如何解釋？」

堅尼斯對這根小小的證物注視了老半天。「唉，真沒想到！」他說道。他眼中噴出怒火，轉向陳查禮。「坐吧，」他說：「這我能解釋，你聽我說。」

「樂意之至！」陳查禮答道。

「早上我在洗澡的時候，」英國人說：「那時大約八點，應該沒錯，有人來敲我的房門。我以為是服務生，因此叫他進來。我先是聽到門被打開，然後有腳步聲進來，我問是誰，結果——為什麼我昨晚沒有把這傢伙的脖子扭斷？」他憤恨的說。

「你是指塔尼維諾大師的脖子？」陳查禮頗感興趣的問。

「沒錯。他跑來這個房間，說是想要見我。我愣了一下，但還是叫他等一下。我從浴缸站起來，開始擦拭身體。陳先生，你跟我到浴室來一下好嗎？」

陳查禮大感意外，站起來跟過去。

「你可以看見，陳先生，浴室的門上有一面很大的穿衣鏡，這個門只要稍稍打開，像這樣，站著洗澡的人便能夠看到臥房的一部分，包括書桌。我正在擦身體的時候，突然有一件事吸引了我的注意。我有一盒小雪茄菸放在書桌上，抽掉了幾根，而我卻看見塔尼維諾先生走過去，拿了好幾根，放進口袋裡面。」

「非常好，」陳查禮鎮定的說：「我要感謝這面鏡子。」

「我起初以為這只是個三隻手的小竊案，不過還是非常懊惱，想走出浴室，叫他滾出我的房間。但是當我擦好身體穿上浴袍時，忽然想到某些事情最好別揭穿的好。所以我決定什麼都別說，姿勢低一點，看看有沒有可能發現這個乞丐在搞什麼鬼。我並沒有料到——恐怕我太遲鈍了點，他竟然想把我捲入席拉的命案裡頭，真是想都沒有想到。我知道他對我並不在乎，但是不知怎的，情形並不是那麼回事……

「我出了浴室，問他想幹什麼。他毫不畏懼的和我對望著，說他來此是希望過去的就讓它過去，兩人能握手言和。他認為我們沒理由不能成為朋友，還覺得席拉也希望見到如此。當然啦，我巴不得把他從窗戶扔出去，但還是控制住自己。我出於好奇，想請他抽根小雪茄，而他卻說：『噢，謝了，我不抽菸。』

「他又提起了費恩小姐，還說什麼若我們能放下昨晚的不愉快，那就再好不過。我的反應冷淡，卻待之以禮，甚至還跟他握手。當他離開之後，我坐下來思考這是怎麼回事，他拿走那幾根小雪茄菸有什麼用意？但就如我說的，我猜不透。現在，事情當然再明白不過，他企圖散播一些假線索，天吶，陳先生，他幹嘛要不厭其煩的那樣做？理由只有一個，是不是？他自己就是殺害費恩小姐的兇手。」

陳查禮聳了聳肩。「我很樂意跟你的想法一致，但首先有好幾件事必須釐清，別的姑且不說，他的不在場證明毫無瑕疵。」

「喔，去他的！那又怎樣？」堅尼斯大叫道：「腦筋好的人總是會有不在場證明的。」他咬牙切齒起來。「我真佩服塔尼維諾對我動的腦筋，真的，我很佩服。假如再讓我看到他……」

「假如再讓你看到他，你絕不能有任何表示，」陳查禮打岔道：「我的意思是說，如果你想提供協助的話。」

堅尼斯猶豫了一下。「嗯，非常好。但是這可不容易辦到，然而既然你這麼說，我會守口如瓶的。你還有什麼要求嗎？」

「沒有了，謝謝你。你提供了很多情報，我現在有新的能量可以上路了。」

陳查禮在等電梯時，腦中一直想著堅尼斯的說詞。那是真的嗎？有可能吧。聽起來似乎是鏗鏘有力，這個英國人腦筋好到能捏造出這樣的劇情嗎？他似乎是個計慮遲鈍的人——老是一個人走到某個地方，把事情想清楚。這樣的一個男人……陳查禮歎了一口氣，唉，這案子問題可真多！

他謹慎的從電梯裡出來，四下看了看，似乎沒什麼人，他走到櫃台。「塔尼維諾先生走了嗎？」他問。

門房點點頭。「是的，不久之前走了，走得很匆忙。」

「非常謝謝你！」陳查禮說。

組長從正門台階上來，陳查禮迎上前去，隨後一起到僻靜的角落。

「什麼事情？」組長問道。

「好幾件，」陳查禮回答道：「塔尼維諾突然躍入調查範圍裡，我們必須看緊他。」

「塔尼維諾？」組長頷首道：「我對那傢伙一直沒好感，他怎樣了？」

「有一點很重要，」陳查禮回答道：「他聽得懂廣東話。」他講起那個發現，這個情況讓他把焦點放在那位命相家身上。「我打電話給你之後，更重要的證據跳了出來。」

他簡單重複堅尼斯有關小雪茄菸的說詞。

組長吹了個口哨。「老陳，我們這下有進展了！」他脫口道。

陳查禮聳了聳肩。「你忽略了塔尼維諾的不在場證明。」

「不，我沒忽略。那個我稍後要來解決。對了，假如你看到那對從澳洲來的老夫婦，不要被他們看見。我跟你講過，我已經安排他們到我的辦公室見個面，在這裡我不想跟他們談。在適當的環境下，我們可以把他們料理得更好。好了，你現在要做什麼？」

「我想徹底搜查塔尼維諾的房間。」陳查禮回答道。

組長皺起了眉頭。「老陳，那樣做不太合法。我不知道。我們又沒有搜索票。」

「所以我請你過來一趟，像你這樣的大人物，可以安排的啦。我們發現的任何東西都會放回去，塔尼維諾不會知道的啦。」

「他去哪裡了？」

陳查禮說明命相家現在的所在位置，組長聽了點點頭。「那是個好主意。你等一下，我去找他們經理談。」

組長不久便回來，身邊還陪著一位黃灰色頭髮的高個子。「搞定了，」組長說：「傑克．穆達你認識吧，老陳？他跟我們一道去。」

「穆達先生是老朋友了。」陳查禮說。

「老陳，你好吧？」穆達說道。他以前當過警察，現在是這家飯店的安全人員。

「一向還算健康。」陳查禮回答道，隨即跟組長跟在穆達背後。

穆達打開了塔尼維諾的房門，讓兩名警察進去，站在一旁留意著陳查禮的行動。

「老陳，你該不會洗劫我們飯店的貴賓吧？」他問道。

陳查禮笑了一笑。「那要視情況而定。」

「昨晚海邊那個案子可真不小，」穆達接著說：「跟往常一樣，你又成了眾所矚目的焦點。有些人就是運氣好得很。」

「那也是擔了多少心換來的，」陳查禮提醒他。「你這裡的工作環境可真舒服，昨晚的海鮮大餐棒極了，你嘗到了嗎？」

「嘗到了。」

「我也一樣，但僅僅是嘗到了而已。」陳查禮歎息道：「受人矚目會遭到許多懲罰。」他環顧著這個房間。「我們的目標是徹底搜查，而不留下任何痕跡，不過幸運的是，我們時間充分得很。」

他跟組長很有條理的開始動手，飯店的安全人員則是靠著一張椅子，抽著一根雪茄。衣櫥、櫃子抽屜、書桌全都細細的搜過，最後陳查禮站在一個大皮箱前面。「鎖住了！」他說。

穆達站了起來。「那沒什麼，我這裡有萬能鑰匙，可以打開。」他開了皮箱，那種立起來可當衣櫃的皮箱，然後打得開開的。陳查禮拉開一個抽屜，立刻滿意的「哇」了一聲。

「組長，這就是我們要找的！」他拿出一架手提打字機，高興的說。打字機放在桌上後，他放進一張信紙，打了一兩行字。「這是來自朋友的一個警告。你應當立刻到檀香山公共圖書館……」打完之後，他從口袋找出另一封信，兩相比對起來。他帶著愉快的笑容，把兩張文件交給了組長。

「麻煩你看一下這兩張文件，然後告訴我你的想法好嗎？」他說。

組長研究了片刻。「這很簡單，」他說：「兩張文件都是用相同的打字機打的，『朋』字打出來墨水擠在一起，『檀』字排列得稍嫌不整齊。」

陳查禮笑著把兩封信拿回來。「長時間關在警察局，並沒有使你的腦筋生銹嘛。對的，正如你所說的，這兩行字一模一樣，都是用這架打字機打的。很高興我們並沒有白來一趟，現在我必須把打字機放回去，這樣我們的造訪才不會受到懷疑，否則再讓好朋友穆達的雪茄菸味滯留下去，大事就不妙了。」

飯店安全人員露出很不好意思的表情。「啊，老陳，我真的沒想到。」

「把你那根菸抽掉吧，損害已經造成了。不過你要當心，工作就算輕鬆，腦筋卻不能不動一下。」

穆達不再抽了，讓雪茄在手上自己熄掉。陳查禮繼續搜索那個箱子，快要搜完卻沒有進一步的發現，這時最底下一層有樣東西引起陳查禮的興趣。

他走到組長面前，手心放了一個男用戒指，黃金打造的基座還挺沈的，上頭鑲了顆大鑽石。組長注視著那個戒指。「仔細看一下，把樣子記住。」陳查禮暗示道。

「又出現了一枚戒指，老陳？」

陳查禮點點頭。「為了偵破這件案子，我們似乎迷失在珠寶店裡。既然我們辦的是好萊塢影星的案子，遇到珠寶首飾似乎是理所當然。」他把戒指放回原位。「穆達先生，我們就到這裡為止吧。」

三人回到大廳，安全人員走後，陳查禮陪組長一起走到車道。

「老陳，你要我看那枚戒指有什麼用意？」組長問。

「小事一樁，我本來極不願意再提一遍。」陳查禮笑道：「你問為什麼？就是關於我幹了那麼多年警察所碰到最丟臉的一件事。你記得吧，昨晚海邊的房子裡，我手上牢牢拿著席拉．費恩寫的信，站在客廳中央，這時電燈突然滅掉，我臉上狠狠挨了一拳，臉頰還被劃破，可見動粗的人手上戴著戒指。等到燈亮之後，那封信已經不見了。」

「對啊，沒錯！」組長不耐的嚷道。

「我當時立刻仔細察看客廳裡的每一個男人，哪個人戴了戒指。巴洛和范豪恩都有，其他人則無，好比塔尼維諾先生就沒有。但是呢，我昨天早上去他房裡拜訪他的時候，卻注意到他手指上戴著戒指，也就是我要你留意的那個。不但如此，當命案的消息傳出來，我們坐車到席拉．費恩的住處時，我還注意到鑽戒在黑暗中閃耀。當他在棚屋裡協助我調查時，我又看到了那枚鑽戒。但是，當那封信被奪，電燈重新點亮時，戒指卻不在了，組長大人，對此你有什麼看法？」

「我會說，」組長回答道：「是塔尼維諾在黑暗之中打了那一拳。」

陳查禮若有所思的撫著臉頰。「奇怪的是，」他說：「我的反應也跟你一樣。」

【第二十章】帷幕的一角

他們走到陳查禮的汽車旁邊，組長突然不解的皺起了眉頭。「這我就搞不太懂了，老陳。」

「關於那一點，」陳查禮平靜的答道：「我們就像兩根在溪流旁邊躬身彎腰的蘆葦一般。」

「塔尼維諾為什麼要打你？」

「為什麼不?也許他當時想要揮揮拳頭。」

「他不久前告訴你那封信的事，還預期你們會在哪裡收到它。結果你才一拿到手，他就將你打倒，還從你手中奪走那封信？」

「無疑他想私自了解其中的內容。」

組長大搖其頭。「我想不通，真的想不通。他從堅尼斯那裡偷了幾根雪茄，然後飛快跑去海邊，將菸屁股丟在棚屋窗戶外面，又寫信給范豪恩，要那傢伙去圖書館做白工。他……他還做了什麼來？」

「也許他謀殺了席拉・費恩。」陳查禮提出來。

「肯定是他幹的。」

「但是他又有完美的不在場證明。」

組長看了一下手錶。「沒錯，我五點半要去處理那個不在場證明，假如那兩個老傢伙如約出現的話。你呢，現在打算幹什麼？」

「我跟你一起去偵訊他們，但是我得先去公共圖書館一趟。」

「噢，那沒問題。你盡快過來。我想我們已經很有進展了。」

「進展到了哪裡？」陳查禮問。

「老天才曉得！」組長回答道，一躬身鑽進了自己的車。他的車先出去，陳查禮隨後開出格蘭飯店的園門，上了卡拉卡華大道。

下午快五點了，威基基海灘戲水的時刻到了，人行道上走過一條長長的隊伍，是身穿鮮艷海灘浴袍的漂亮女孩以及皮膚黝黑的健美男士。大家都有時間享受人生，陳查禮想道，唯獨他陳查禮沒有。下午新發現那麼多案情把他整個人困住了，現在他很需要東方式的心性涵養，以便在偵查的路上堅定走下去。塔尼維諾信誓旦旦的說要協助抓到兇手，打從一開始就催促著辦案的腳步。陳查禮一面開車朝城裡去，心中一面縈繞著這位命相家黝黑的臉龐以及深不可測的眼神。

他在公共圖書館停下車，走到館內的櫃台。

「請問一下，管閱覽室的那位小姐在嗎？」他問。

那位小姐來了，還在為早上的事件生氣著，以後她再也不會任由報紙檔案擱在桌面上了，然而今天那位負責歸架的日本男孩卻在放假。她當然還記得范豪恩，這位明星主演的電影她看過。

「早上閱覽室裡還有什麼人讓妳印象深刻？」

女孩想了一想，有了，她記得一位。一個看起來很詭異的人，她尤其記得那個人的眼睛。陳查禮要她進一步描述，毫無疑問，她指的就是那個人。

「妳有沒有看到他在翻閱那個電影明星留在桌上的檔案?」

「唔,我沒有。范豪恩先生才剛走,他就進來,待了一整個早上,看了許多份報紙和雜誌。他看起來在消磨時間。」

「他什麼時候走的?」

「我不知道。我出去吃午飯時,他人還在。」

「喔,」陳查禮點點頭:「他理當如此。」

「你想報紙是他剪的嗎?」

「我沒有證據,恐怕也找不到證據。不過毀損檔案的肯定是他。」

「我希望他被抓去坐牢!」小姐惱怒的說。

陳查禮聳了聳肩。「我們的想法一樣。謝謝妳提供詳細的情報。」

陳查禮飛快的開車回警察局。辦公室裡只有組長一個人,正在粗聲粗氣的講著電話。「不是,沒有,什麼都還沒有。」他重重把話筒掛回去。「天啊,老陳,他們快把我逼瘋了,全世界都想知道是誰殺死了席拉.費恩,今天早上的報紙吸引來一百多封電報查詢。好了,圖書館那裡怎樣了?等一下。」

電話又響了。組長回答的口氣不很和善。

「是史賓塞打來的，」他掛斷後說：「我真搞不懂這些小朋友是怎麼了，他們好像一籌莫展，那個在海邊混的傢伙，他們連個蛛絲馬跡也沒找著。老陳，那傢伙很重要，昨晚他進去了棚屋裡。」

陳查禮點點頭。「必須找到他。我非常忙，但看來得親自去找他。等那對老夫婦的事情了結之後，我就……」

「好極了，一言為定！你一空下來就出去找他。剛剛說到哪裡了？噢，對，圖書館。你在那裡發現了什麼？」

「毫無疑問，」陳查禮回答道：「塔尼維諾就是毀掉丹尼．馬佑相片的人。」

「就是他麼？嗯，我想也是。他不想讓你看到馬佑的長相。為什麼呢？問題再這樣搞下去我準會發瘋，但是有一件事情是肯定的，我也絕不罷手，塔尼維諾就是我們要找的人，席拉．費恩是他殺的，我們一定要讓他伏法。」陳查禮正要開口。「噢，是的，我懂，他的不在場證明。好吧，你看著好了。就算是我這輩子最後的一個行動，我也要毀掉那個不在場證明。」

「我想提出另一個反對理由。」陳查禮不慍不火的對他說。

「什麼理由？」

「假如他謀殺了席拉・費恩，為什麼他一開始要向我透露說，我們即將抓到殺死丹尼・馬佑的兇手？為什麼，就像我兒子亨利常常講的，把那個分析清楚啊？」

組長雙手抱頭。「老天，我不知道。這裡頭很複雜，是不是，老陳？」一名便衣刑警來到門邊，宣稱麥馬斯特夫婦到了。「帶他們進來，」組長站了起來。「老陳，至少我們可以做一件事，」他說：「我們可以把那個不在場證明搗爛掉，那樣也許事情會比清楚一點。」

那對蘇格蘭老夫妻進來了，一看到他們那種慈眉善目的樣子，組長不禁大吃一驚。老先生走近陳查禮，伸出手來。

「噢，晚安，陳先生，我們又見面了。」

陳查禮站起來。「跟你介紹一下，這是刑事組組長。麥馬斯特太太，我也介紹妳認識一下我們刑事組的長官。組長有幾個問題等著請教你們。」他「請教」那兩個字講得很輕，但是組長聽得懂他的暗示。

「夫人妳好，」組長殷勤的說：「麥馬斯特先生，不好意思打擾你了。」

「說哪兒話，長官，」老先生回答道，「兒」那個字帶有濃厚的亞伯丁腔。「我跟孩子的媽一向跟警察沒什麼來往，不過我們都是守法的公民，很樂意協助。」

「很好，」組長回答道。「是這樣的，先生，根據你們向陳督察所講的話，那位自稱是塔尼維諾大師的人，你們都是他的老朋友？」

「嗳，我們都是。他還很年輕的時候我們就認識他了，他是個很不錯的小伙子，我們都很喜歡他，長官。」

組長點點頭。「你說昨晚八點剛過幾分，一直到八點半的時候，你們和他一起坐在格蘭飯店的涼台上？」

「我們是這麼說的，長官，」麥馬斯特回答道：「而且不管要我們上哪個法庭，我們都敢發誓，那是真的。」

組長凝視著他。「那不可能是真的！」他說。

「嗄？你這話什麼意思，長官？」

「我是說這一定搞錯了。我們有證據那段時間塔尼維諾在別地方，這點無容爭議。」

老先生高傲的站起來。「我不喜歡你講話的口氣，長官。湯瑪士・麥馬斯特所講的話從沒被人質疑過，我來這裡並不是要接受侮辱的……」

「我不是質疑你的話，只是你搞錯了。你聲稱塔尼維諾在八點半的時候離開你們，你有看手錶確認時間嗎？」

「有。」

「你的手錶時間可能不對。」

「是不對。」

「什麼！」

「它走得稍微快了點，大約三分鐘吧。我拿去對飯店的時鐘，那個鐘是八點三十二分。」

「你……請恕我這麼說，你不再是年輕人了，麥馬斯特先生。」

「在美國年紀大也違法嗎，長官？」

「我的意思是……你眼睛……」

「我的眼睛，長官，並不比你的差，可能還要好一點。塔尼維諾先生離開我們的正確時間是八點三十分。打從我們吃飯開始，他就一直跟我們在一起，只除了中間他跟一位先生到大廳另一頭講話，即便當時他也沒有離開我們的視線。前面講的這些話，」他一拳捶在辦公桌上，「就算天塌下來我也還是這麼說！」

「孩子的爸，你別生那麼大的氣嘛。」老太太打岔道。

「誰生氣了？」麥馬斯特嚷道：「你跟警察講話就必須這樣加強語氣，孩子的媽，你必須使用他們的語言！」

組長思考了起來，連他自己都不禁被這位老先生的誠實打動。本來他想唬人致勝，讓對方放棄原先的證詞，但看來這個策略不管用了。真是豈有此理，他想道，這樣塔尼維諾的不在場證明豈不是真的，而且還是個十分完美的不在場證明！

「夫人，妳先生講的妳也支持？」他問。

「每個字都支持！」老太太頷首道。

組長擺出莫可奈何的姿勢，轉向麥馬斯特。「好吧，」他說：「你贏了。」

陳查禮走上前去。「我能否有此榮幸跟這兩位好朋友講兩句話？」他問。

「當然可以，你跟他們說吧，老陳。」組長氣餒的答道。

「我的問題很簡單，」陳查禮和氣的接下去說：「塔尼維諾先生去你們牧場工作時，我想他還是個剛出社會的年輕人吧？」

「正是如此！」麥馬斯特同意道。

「他本來是個舞台劇演員？」

「噯，演得不很成功。他跟我們一起工作得很愉快。」

「塔尼維諾這個名字有點奇怪，他去工作時，用的就是這個名字？」

老先生飛快的看了他太太一眼。「不是，他不叫這個名字。」他說。

「那時他叫什麼名字？」

麥馬斯特的下巴突出來，一個字也沒說。

「我再問一次，當初他跟你們一起工作時叫什麼名字？」

「我很抱歉，陳督察，」老先生回答道：「他要求我們不要提這件事。」

陳查禮的眼睛好奇的為之一亮。「他要求你們不要提起他的本名？」

「是的。他說原來的名字已經不用了，並且要我們把他當成塔尼維諾先生。」

陳查禮小心試探起來。「麥馬斯特先生，你看到我們的臉就知道事態嚴重，昨晚發生了謀殺案。塔尼維諾先生本身不是壞人，你親自證實了他的不在場證明，我們也毫不懷疑的接受，因為我們知道你說的是真話。你幫了他的忙，之所以如此，只因為你是個喜歡說實話的人。但是，即使再怎麼親密的朋友，也無權要求你。你剛剛說自己是個守法的人，沒有一個活人會笨到去懷疑這句話，而我想了解的是，塔尼維諾先生在澳洲跟你們在一起時的名字。」

老先生遲疑的轉向他太太。「我……我不知道，孩子的媽，這情況很為難。」

「你照實說了，也不會使他成為殺人兇手，」陳查禮接著說：「因為你已經幫他擺脫那個嫌疑。但是你如果吝於說出來，我們的調查工作就會嚴重受阻。但我相信，你絕不是那樣的人才對。」

「我不知道，」這位蘇格蘭人沈吟起來。「孩子的媽，妳認為怎樣?」

「我認為陳先生是對的。」她向陳查禮露出笑容。「我們發誓證明那個不在場證明，這就很對得起他了。孩子的爸，假如你不講的話，我來講。一個人對他自己的本名，為什麼要不好意思?我敢肯定那就是他的本名。」

「夫人，」陳查禮說：「妳的觀點非常正確，請告訴我那個名字。」

「我們在牧場認識塔尼維諾的時候，」老太太接著說：「他名叫阿瑟·馬佑。」

「馬佑！」陳查禮失聲叫道，他和組長交換了勝利的眼神。

「是的。今天早上他告訴你說，他那時一個人來為我們工作。我不明白他為什麼那樣說，事實不是那樣。你知道嗎，他是跟弟弟一起來的。」

「他弟弟？」

「是啊，他弟弟叫丹尼·馬佑。」

【第二十一章】疑點之王

突如其來聽到這個訊息，陳查禮的呼吸變得稍微急促了些。塔尼維諾竟然是丹尼．馬佑的哥哥！難怪那位命相家會如此急著想從席拉．費恩口中，得知殺死丹尼．馬佑的兇手身分。也難怪，席拉．費恩似乎正要說出兇手卻被滅口時，他會主動向陳查禮提出他想盡力協助緝拿兇手。

但是不對——他有實踐承諾，幫忙到底嗎？正好相反，他顯然盡可能在陳查禮會走過的路上設下障礙。迷團，迷團——陳查禮伸手摸著自己的頭，這個塔尼維諾真是神秘之王。

「夫人，妳講的很有意思，」警探說道，他的眼睛發亮，至少在這一點上出現了一線光明。「能不能麻煩再告訴我，這兩個兄弟在相貌上有沒有相似之處？」

老太太點點頭。「嗳，有啊，也許很多人看不出來，因為年齡上有段差距，頭髮顏色也不一樣。丹尼的頭髮是金黃色的，阿瑟則是黑髮。但是當他們頭一次肩並肩站在廚房時，我就知道他們兩個是兄弟。」

陳查禮露出了笑容。「夫人，目前而言，雖然真相只有老天才知道，但是對於我們的調查，妳貢獻了不少。我想我們目前想了解的就是這些，組長，我這樣說對嗎？」

「不錯，就是那樣，老陳。麥馬斯特先生，非常感謝你跟夫人到我們局裡來。」

「不用客氣，長官。」老先生回答道。「走吧，孩子的媽。這件事情我，呃，覺得不太放心，妳可能話講得太多了。」

「少胡扯了，湯瑪士。沒有一個老實人會對自己的本名感到不好意思的，而我認為阿瑟人很老實。假如他不是的話，那他跟我們當初認識的時候已經有了很大的改變。」

老太太站起身來。

「至於那個不在場證明，」她丈夫固執的說：「不管情況怎樣，我們都堅持到底。塔尼維諾陪著我們從八點一直到八點半，如果命案在這半個小時內發生，那就不是他幹的，這個我敢發誓，二位。」

「好的，好的，我想你會，」組長回答道：「請慢慢走，先生。夫人，我們很高興認識你們。」

老夫婦走了，組長看著陳查禮。「哇，我們現在前進到哪裡了？」他問。

「跟往常一樣，纏在網子裡面，沒完沒了。」陳查禮回答道：「有一件事我倒是知道：塔尼維諾正在青年旅館等著我呢。我馬上打電話要他過來這裡。」

打完電話之後，他回來坐在組長旁邊，愁眉深鎖的思索著。

「案情自動在我們面前鋪展開來，」他說：「丹尼·馬佑是塔尼維諾的弟弟，這理當對案情的偵破有很大助益，但在其他方面，只是增加我們的困擾。他為什麼不告訴我這個？為什麼他拼命不讓我知道？老太太講的你也聽到了，他們兄弟倆長得很像。那說明了丹尼·馬佑的相片為什麼全部被毀，塔尼維諾寧可繞一大段路，也要確保我們無法獲悉此一事實。」他歎了一口氣。「不管怎樣，那些相片為什麼被毀的原因我們總算搞清楚了。」

「是沒錯，但是那並沒有把我們帶向任何地方，」組長回答道：「假如被殺的人是他弟弟，只要席拉．費恩一透露兇手的名字，他就立刻要你去抓。依我想，他自然會告訴你他和丹尼．馬佑的關係，尤其是費恩小姐的死訊傳出之後。他對這件案子興趣濃厚，這樣看來就很合乎邏輯了。可是他非但沒有告訴你，反而拼命隱瞞這層關係。」組長頓了一下。「奇怪的是，好萊塢電影圈的人那麼多，居然從未有人發覺塔尼維諾和丹尼．馬佑長得相像。」

陳查禮搖搖頭。「他們不可能發覺。這兩個人相隔了好長時間出現在好萊塢，而且又沒有站在一起給人家看過。麥馬斯特太太說，許多人看不出他們長得像，但是塔尼維諾很抬舉我，認為我看得出來。至於其他人，他很清楚他們兄弟倆的相似處幾乎不會被發現，除非有人指出來，大家才會注意。人性就是那樣。」

「我越來越受不了人性了！」組長嚷道。「那個算命的來到之後，你打算怎樣應付他？」

「我打算輕輕帶過。他做了很多荒唐事，我們一件都別提，只提剛剛曉得的這件事。他沒有交代他和丹尼．馬佑的關係，理由是什麼？這當中也許有很大的含意。」

「唉，我不知道，老陳。即使那一點也別讓他知道，或許會比較好。」

「這樣不好，我們不要假裝毫無疑慮，而是要擺出很開心的樣子。現在我們知道他無論如何都應該提供協助，頭頂上的天空終於大放光明了。」

「好吧，你來應付他，老陳。」

不久之後，塔尼維諾步履輕快的走進辦公室來。他的態度高傲又有點故作謙虛，雖然知道遇上了不尋常的人，卻又自恃大排場看多了，不管走到哪裡都很自在。

「噢，陳督察，我等了你好久，正準備放棄了咧。」他向陳查禮點點頭。

「一千個誠摯的抱歉，」陳查禮答道：「公務繁忙，把我耽擱了。容我介紹一下，這是我們刑事組組長。」

命相家行了個禮。「非常榮幸。陳督察，你進行得如何了？我急著想知道。」

「你當然想知道。我們剛剛才發現一個事實，了解你對本案的興趣有多深。」

塔尼維諾注視著他。「你是什麼意思？」

「我是說，我們發現丹尼·馬佑是你弟弟。」

塔尼維諾走了兩步，把手杖放在一張桌上，這動作似乎給了他一點時間思考。

「那是事實，陳督察，」他再度和陳查禮面對面，說：「只是不知道你是如何發現的……」

陳查禮適度露出得意的笑容。「經過我們調查，尚未挖掘到的事實並不多。」他語氣溫和的說。

「很顯然沒有挖不到的。」塔尼維諾猶豫了一下。「我猜，你在奇怪為何我不告訴你？」

陳查禮聳了聳肩。「你想必有很好的理由。」

「理由有好幾個，」命相家對他說：「首先，我看不出讓你知道以後，對於破案有任何幫助。」

「你考慮得很深入。」陳查禮欣然同意道。「但我還是覺得有點受傷，朋友之間應當坦白，就像雨後見到溫暖的陽光，這樣友誼才會增長。」

塔尼維諾點點頭，坐了下來。「你的話很有道理，我很抱歉隱瞞了這層關係，我要鄭重道歉。陳督察，如果不算太遲的話，我把所有的事告訴你好了。」

「一點都不會太遲。」陳查禮笑道。

「陳督察，丹尼．馬佑是我弟弟，我最小的弟弟，我們之間的關係比較像是父子，我深愛著他，照顧著他，幫助他的事業，而且以他為榮。他被殘酷的殺害時，我受到極為嚴重的打擊。因此你應該很容易明白，為何我會說……」他忽然露出真情，語音顫抖起來，「三年來我的主要目標，就是要找出真兇讓他瞑目，其實這正是我唯一的目標。假如殺害席拉．費恩的人，也正是謀殺我弟弟丹尼的兇手，那麼——天啊，除非將那人繩之以法，否則我睡不安穩。」

他站起來踱來踱去。

「得知丹尼遇害的消息時，我正在倫敦演出，當時我什麼事也不能做——距離太遙遠了。不過當機會一來，我就到了好萊塢，下定決心要查出他的死亡之謎。我想過，如果我不是以丹尼哥哥的身分，而是使用化名出現在影城，從事這件事的機會可能會比較好。起先我自稱亨利．斯摩伍，那是我不久之前演過的一個角色。

「我到處觀察，這個案件警方顯然毫無頭緒。漸漸的，我發現好萊塢竟有那麼多占星算命的江湖術士，這讓我印象深刻。他們似乎每個很都發達。有謠言說，那些電影明星對他們非常信任，把所有祕密都告訴他們。

「我忽然靈機一動。年輕的時候，我當過麥斯克林大師的助手，他是享譽多年的魔術師，也真的很有本領。我在心理遊戲方面很有一點天分，當過業餘算命師，做這種事的膽量很夠。於是我想，我何不取個令人印象深刻的名字，化身為水晶占卜家，打聽好萊塢的祕密，以設法找出丹尼的死因呢？整件事情看起來那麼荒謬而又容易。」

他又坐了下來。

「因此呢，兩位，我就當了兩年的塔尼維諾大師。我聽過很多故事，一廂情願的苦戀、無法滿足的野心、私人恩怨、陰謀詭計、希望和落空。這些很有趣，有許多祕辛在我耳邊輕輕訴說，但是我最想聽到的一件大祕密並不在其中。然而，有如天外飛來一筆，昨天早上在格蘭飯店，那個時刻降臨了，我尋到了丹尼被殺的線索。當我知道發生什麼事情時，我花了很大的工夫才控制住自己。席拉．費恩告訴我說，那天晚上她就在丹尼住的地方，目睹丹尼遭到殺害。我幾乎無法控制自己。她不肯講出兇手的名字，我差點跳到她身上掐她脖子，逼她講出來。若是在三年之前，我肯定會那樣做，但是時間……隨著時間流逝，我們都變得更冷靜了。

「然而，我一旦知道她曉得內情，除非她把話講出來，我是不會放過她的。當你昨晚看到我時，陳督察，我心中的期望非常高。我提議晚會結束後我們一起到她家裡，我確信只要我們兩個在，那個名字最後一定會問出來。我打算立刻把兇手交給你，因為……」他眼睛看著組長，「不必我講，我從未想過用別的方式了結這個案子，從一開始我就希望讓法院來處理殺害丹尼的兇手。當然這也是唯一合乎理智的方式。」

組長認真的點了點頭。「那當然，這是唯一的方式。」

塔尼維諾轉向陳查禮。「你知道發生了什麼事嗎，不知怎的這名兇手得知席拉正要把真相講出來，於是殺她滅口。就在勝利的關頭，我失敗了。可憐的席拉，除非你發現是誰殺死了她，否則我在好萊塢放逐了這麼些年，很可能到頭來一無所獲。這就是我為什麼要幫助你，為什麼想……」他的聲音再度顫抖起來，「抓到殺死席拉．費恩的兇手，比起我過去想得到的任何東西都來得迫切。」

陳查禮有點敬畏的看著他。到處散播假線索的就是這個人嗎？

「我很高興你那麼坦白，雖然來得遲了點！」陳查禮帶著詭異的笑容說。

「也許我應該立刻告訴你的，」塔尼維諾接下去說：「事實上，當你開車載我前往席拉的家時，我已經想說明我跟丹尼．馬佑的關係了。但是我又想到，這個訊息恐怕幫不上任何忙，而且我不願讓人知道我為什麼要在好萊塢替人算命，如果說出來的話，那碗飯肯定不能吃了。我並且對自己這麼說，也許陳督察無法查出殺死席拉．費恩的兇手，那樣的話，我還得回好萊塢繼續調查，那些人還是會帶著祕密跑來找我。譬如今天，黛安娜．狄克森就來找我諮詢。這也就是為什麼殺害丹尼的兇手尚未發現之前，我不想讓本名曝光。二位都是謹言慎行的人，我信得過。」

「這點請你放心。」陳查禮點點頭。「現在案情依然如同埋在萬里長城底下，不見天日。知道你那麼堅定的支持我們，本案又增加了新的希望。塔尼維諾先生，我們會抓到殺害席拉．費恩的兇手的，殺害令弟的兇手也一樣。」

「你們有進展了嗎？」命相家關心的問。

陳查禮凝視著他。「我們每分每秒都在逼近之中，再多發現一兩個事實，我們就到達終點了。」

「太好了，」塔尼維諾由衷的說：「現在你們知道我在本案中的利害關係了，我一開始沒有把話全部講出來，希望你們能夠原諒。」

「你的解釋非常合理，可以諒解的，」陳查禮笑道：「我想我們已經不怪你了。」

「謝謝你。」塔尼維諾看了一下手錶。「快到吃晚飯的時間了，是不是？很抱歉我剛才講的對於偵查並沒有很大的幫助，若是有一丁點的實質貢獻我能夠做到的話……」

陳查禮點點頭。「我很了解你的心情，有誰曉得呢？也許你的機會還沒出現吧。」他陪塔尼維諾走出辦公室，一直送出警察局大門。

當他回來時，組長已癱坐在辦公桌後面，臉上露出苦笑。「唉，」他說：「那些相片又如何解釋？」

陳查禮也笑了。「每一件都矛盾得很，」他回答道：「塔尼維諾真的很怪。他想要幫忙，於是偷走堅尼斯先生的雪茄菸，還把菸蒂丟在棚屋窗外。他渴望我能破案，於是寫信誤導我把時間浪費在無辜的范豪恩先生身上。他沒有告訴我他是丹尼．馬佑的哥哥，所持的理由根本微不足道。但是他發瘋似的毀掉馬佑的相片，好像甘冒一死也要防著我。他看到那封可能寫有兇手名字的信正要被我拆開，就一腳把電燈踢熄，還往我臉上打一拳。」陳查禮若有所思的摸著臉頰。「沒錯，這個塔尼維諾真是個怪人。」

「唉，我們要從這個地方前進到哪裡呢？」組長問道：「前面看起來像是你所謂的大石牆，老陳。」

陳查禮聳了聳肩。「每逢這種情況，我們就兜一下圈子，看看能否找到新的出路。

以我來說，現在又對那個海邊混混發生了濃厚的興趣。他昨晚幹嘛進到棚屋裡面？更重要的是，他聽到席拉．費恩和鮑伯．懷菲談了些什麼，為何懷菲肯花那麼多錢要他閉嘴？」他走到門邊。「鹿島玩捉迷藏的遊戲已經夠久了。我先去祭拜一下五臟廟，然後到城裡進行小小的搜索。」

「就這麼說了，你親自出馬去抓那個海邊混混。」組長嚷道：「我也要到城裡吃頓飯，然後盡快回來。七點以後你隨時可以在這裡找到我。」

陳查禮打電話回家裡，女兒蘿絲在另一頭接電話。他說今天不回家吃晚飯了，隨即惹來一陣淒厲的抗議。「但是，爸，你一定要回來，我們大家都想看到你。」

「喔，妳們終於開始對可憐的老爸有了感情。」

「那當然啦。而且我們非常想聽到最新消息。」

「那你們再活久一點，」他建議道。「現在還沒有最新消息。」

「啊，那你一整天都幹什麼去了？」蘿絲逼問道。

陳查禮歎了一口氣。「也許我十一個孩子都應該來辦這個案子。」

「也許應該如此，」她大笑道：「來一點美國式的衝勁也許會創造出奇蹟。」

「所言不差。我只不過是個愚蠢的東方老……」

「誰說你是了？我可沒說喔。但是爸，如果你愛我的話，動作就請快一點。」

「我會加速的，」他回答道：「假如不快馬加鞭，我看今晚也別想回家了。」

他掛上電話，走到鄰近的餐館，吃了豐盛的一餐。

酒足飯飽之後，他沿著國王街逛向亞拉公園。薄暮漸漸籠罩這片凌亂的開闊地，此處是專攻江湖經驗的社會學院校園，學員懶洋洋的斜倚在長條椅上，其中幾個看到陳查禮走來，低垂的眼簾下露出敵意的兇光。他走過時，有人竊竊私語，偶爾夾上一兩句咒罵，開口者以前碰到這名警探時，場面並不怎麼愉快。陳查禮對他們渾不在意，他要找的是一名男子，身上穿著天鵝絨外套和帆布褲，帆布褲的底色原本是白的。

公園這趟一無所獲，他過馬路到對面街上，那裡都是些劣等貨商店以及撿破爛生意的。結構脆弱的陽台上有位身穿褪色和服的菲律賓女人，人高馬大，正在抽著飯後的雪茄。陳查禮走進檀香山的這個區域，觀光客是不太知道的，他們呼吸的是海邊清新的空氣，觀看的是島嶼的秀色。

河邊區毫無秀色可言，只有骯髒和貧困，各個種族的人擠在國際性的貧民窟裡面。

他聽到激烈爭吵的聲音，孩童號啕大哭的聲音，東家長李家短的聲音，而即使在這裡，還是可以聽到如泣如訴的夏威夷音樂。空氣中帶著惡臭，〈夏威夷之歌〉懶懶的飄送著。有一道門，後面是黑暗污穢的樓梯，上面的招牌寫的是：「東方酒店」。

他停下來看著那個放射出霓虹燈光的招牌，一個女孩走過來，皮膚黝黑，苗條，曼妙。他欠身讓女孩過去，看著女孩的臉。熱帶地方，廣大的南太平洋，消失在其中的孤獨島嶼——一片冷綠的背景中有張可愛的臉。他立刻跟隨女孩上了樓梯。他進到沒啥裝潢的房間，天花板低垂著。幾張桌子鋪著藍白方格桌布，幾名化了粧的女孩在後頭吃飯。個頭矮小的店主搓著手走上前來，態度親切，然而在平靜的外表底下，內心多少有些不安。

「有何貴事呢，警官？」

陳查禮將店主推開，跟隨在樓下看到的那位女孩後面，只見她脫下帽子，掛在牆上的掛鉤上，顯然她也在這裡工作。

「打擾一下。」陳查禮開口道。

她看向陳查禮，迷濛的雙眼混和著恐懼和不屑。「你要幹什麼？」

「有個白人叫史密斯的，在海邊混，妳認識他吧？」

「也許。」

「他畫過妳，我看過那張畫，畫得很美。」

女孩聳了聳肩。「沒錯，他有時常來，我讓他畫了那張畫。那又怎樣？」

「妳最近有沒有看到史密斯？」

「沒有，很久沒看到他了。」

「他住哪裡？」

「在海邊吧，我想。」

「他有錢的話會住哪？」

女孩沒有回答，店主走上前來。「妳告訴他吧，李歐若拉，警官問妳什麼，妳就照實說。」

「噢，好吧。他時常住在不列塔尼街的日本旅社。」

陳查禮行了個禮。「非常感謝。」他沒在那個臭惡擁擠的房間多浪費時間，立即下了幽暗的樓梯。轉眼間他進到日本旅社，櫃台後面那個瘦小的日本人殷勤向他打招呼，一看就知道虛情假意。

「大駕光臨啊，警官。」

「沒別的目的。那個叫史密斯的白人住這裡嗎？」

小日本在櫃台底下拿出登記簿來。「我看一下……」

陳查禮伸手去拿那本簿子，小日本稍事抗拒之後被陳查禮一把拿了去。「我自己看，你視力不好。阿奇·史密斯，第七號客房。你帶我去。」

「史密斯先生好像出去了。」

「我們去查看看他是否出去了。動作快點。」

小日本不甘不願的帶他走過中庭，那裡都是些蔓生糾纏在一起的花花草草。日本旅社是由好幾間破房子、年久失修的附屬建築物拼湊而成，他們上了一處涼台，一名日本女服務生正彎腰提著一個沈重的鐵箱，步履蹣跚的走過。小日本走進霉味很重的走廊，手指著一道房門，門板上掛鉤掛著第七號或諸如此類的玩意兒。

「人在裡面。」小日本留下不友善的眼神走了。

陳查禮打開第七號房間的門，裡面光線很暗，天花板矮矮的，松木桌上亮著一盞髒兮兮的燈泡，旁邊坐著那位海濱逐客，一塊油畫布放大腿上。他抬起頭來，吃了一驚。

「啊，」他說：「是你？」

陳查禮睏倦的看著他。「你這一整天到哪裡去了？」

史密斯指著腿上的畫。「長官，這就是證據，我一直坐在這間豪華的工作室裡，畫著外面的庭院。你來找我太好了，畫完這幅畫之後我還真覺得有點無聊。」他靠坐在椅子上，挑剔的看著自己的作品。「過來看看吧，警官。你知道嗎，我相信我把一種惡毒的特質貫注在畫裡頭了。你相信花也會看起來很下流邪惡嗎？嗯，它們會的——日本旅社院子裡的就會。」

陳查禮看了一下那幅畫，點點頭。「的確，畫得不錯，但是我現在沒時間鑑賞了。你拿一下帽子，跟我走吧。」

「我們要去哪兒？吃晚飯嗎？我知道聖傑曼大道上有個地方——」

「我們到警察局去。」陳查禮回答道。

「隨你吧！」史密斯點點頭，他把油畫擱一邊，拿起了帽子。

他們穿越亞拉公園到國王街。陳查禮幾乎是以一種關愛的眼神看著這位社會棄民，在他跟史密斯再次分手之前，這位海濱逐客將會告訴他很多事情，多到足以解決他的難題，將他的疑慮全部解除。

刑事組就只有組長一個在，一看到陳查禮身邊的人，他的眼睛為之一亮。「哇，你找到他了。我就知道你辦得到。」

「這是怎麼回事？」史密斯快活的問，「受到那麼大的關注，我的面子真是給足了，不過……」

「你坐下來，」組長說：「把帽子脫掉。」謝天謝地，眼前這個傢伙不必對他太客氣。「你看著我。昨晚威基基有個女人被殺了，地點是她住家的一個獨立棚屋。她遇害的時候，你在那個棚屋幹什麼？」

史密斯的臉在黃鬍子底下變白了，他伸出舌頭潤潤嘴唇。「長官，我從未進到那座棚屋裡。」

「你胡說！我們在窗台上發現你的指紋，你在那裡幹什麼？」

「我……我……」

「得了吧，打起精神來。你現在處境很吃緊喔，講老實話，否則你會被吊死。你在那裡幹——」

「好吧，我講。」史密斯低聲說：「給我一個機會吧，我沒有殺人。沒錯，我是進到了棚屋——從某個角度而言……」

「從某個角度？」

「是的，我打開窗戶，爬上窗台，你知道——」

「請你從最前面開始講，」陳查禮打岔道：「據我們所知，你去到那座棚屋旁邊，聽到一男一女在裡面講話，他們說些什麼現在先擱著，你聽到那個男的離開了棚屋……」

「是的，我在背後尾隨，想要看到他，但是他鑽入車內，開上大馬路走了，我追不上。所以我慢慢走回來，坐在海灘上，沒過多久聽到一聲尖叫，那是女人的聲音，從棚屋傳出來。我聽到了卻不知怎麼辦，等了片刻，然後走過去，從窗戶看進去，窗簾是放下的，但是隨著風飄來飄去。棚屋裡頭毫無動靜，我以為人都走了，然後呢，嗯，說起來有點尷尬，我以前從來沒幹過這種事。但是呢，我窮困已極，身上連一毛錢也沒有，當你陷入這樣的窘境時，你總會有這樣的感覺，認為是這個世界欠你的……」

「快點講正題！」組長咆哮道。

「啊，好吧，我瞥見窗內有個亮晶晶的東西，是枚鑽石別針。我以為裡面沒人，因此拉開紗窗，爬到窗台上，俯身下去撿起那枚別針，那時我看到了她——那個女人——倒在桌子旁邊，被人刺死了。唉，我當然立刻了解到那裡不宜久留，於是拉下紗窗，將那枚別針藏在海邊一處安全的小保管箱裡，盡可能裝作沒事的走到大馬路上。一個小時後，我還在路上走著，卻被那個警察抓了。」

「那枚別針還放在海邊那裡嗎？」陳查禮問。

「不，我今早取出來了。」史密斯從褲袋把東西拿出來。「快拿去吧，我不要了，別再讓我看到它。我一定是發瘋了才這麼做，但是就像我剛剛講的，當你窮到不能再窮的時候……」

陳查禮研究著那枚別針，很精巧的一個小玩意兒，白金做的，上面鑲了一排上好的碎鑽。他翻過來，看到別針攔腰折斷了，尾端部分不知去向。

組長繃著臉瞪著海濱逐客。「哼，」他說：「你知道這是怎麼回事，我們要把你關起來。」

「稍等一下，」陳查禮打岔說：「找到鑽石別針是很好，但是這對我們並不十分重要。最重要的是，當這個人徘徊在屋外時，席拉・費恩跟鮑伯・懷菲在裡頭談話時他聽到了什麼？這當中有件事情非常重要，懷菲先生為了這個不惜認罪以阻止追查，並且還花了不少錢要史密斯先生保持沉默，但現在史密斯先生改變心意，不再隱瞞真相了。」

「啊，那不對！」史密斯嚷道：「我是說，根本就沒有……」

「那我們把你當小偷抓起來，」陳查禮打斷他的話說：「你喜歡坐牢嗎？我想不會吧，夏威夷地方政府同樣不樂意供你在牢裡頭吃住咧。組長，我這樣說對嗎？在某個場合底下，某個人是否偷過東西，我們也許會忘得一乾二淨哩？」

組長遲疑了一下。「老陳，你認為那很重要？」

「非常重要。」陳查禮回答道。

「好吧，」組長轉向海濱逐客：「你把昨晚聽到的事照實講出來，我們就放你走。我不想要你吃官司，但是這次一定要講實話。」

史密斯猶豫起來，他那個玫瑰之夢，回美國本土，穿體面的衣服，讓人家看得起，全都泡湯了。然而一想到要在歐胡監獄蹲苦窯，又讓他心中一懍。

「好吧，我講。」他最後說：「我很不願意這麼做，但是……唉，我必須回克里夫蘭。我父親，一個一絲不苟的人，你們知道，他年紀越來越老了，即使我不是為了自己，為了他我也非脫出這個困境不可。長官，當我走近那扇窗戶旁邊時——」

陳查禮伸出手來。「請等一下，在你講這件事的時候，我很想看到鮑伯．懷菲在場。」他看了一下手錶。「我好像可以在他住的飯店找到他，失陪一下。」他打電話給懷菲，之後回刑事組坐在海濱逐客旁邊。「現在我們好好休息一下吧。你呢，史密斯，心裡面好好想想，把要講的話先準備好。請記住，講實話。」

海濱逐客點點頭。「你看著好了，長官，我這次會講真話了。」他低頭看著腳上那雙破鞋。「我知道再拖延下去未必好。你有菸嗎？沒有？嗯，我也沒有。唉，算了，這就是生命。」

【第二十二章】海濱逐客聽到的話

他們默默的坐著，時間一分一秒逝去。史密斯淺藍色的眼睛無望的瞪視著未來，他得永遠如此的走下去，身無分文，形孤影弔，在一個彎如新月的海灘之上。組長點起一根大雪茄，拿起晚報來看。陳查禮從口袋拿出那根鑽石別針，反覆看著，陷入了沈思。

十分鐘後，鮑伯．懷菲進到刑事組來。笑臉迎人，充滿自信，彷彿正要上台表演哩。但是當他眼睛一落在史密斯身上，臉上的笑立刻沒有了，反而皺起了眉頭。

「晚安，陳先生，」演員說：「我可以停留個二十分鐘，之後我就得走了。今晚我可不能又遲到了。」

「二十分鐘很足夠了，」陳查禮點點頭。「在座的史密斯先生你已經見過，這位是我們刑事組組長。」

懷菲行了個禮。「喔，陳督察，你找我來是有很重要的原因囉？」

「對我們而言是如此，」陳查禮回答道：「無關的話我就不說了，昨晚你跟前妻在海邊那座棚屋談了一番話，你們真正談了些什麼，到現在仍不得而知。我們一開始談論這件事時，你招認了一樁自己並沒有犯下的罪行，以求改變偵訊調查。接下來在今天早上，你突然發現自己愛上了藝術，向史密斯買了一張畫，希望他能保持沈默。」他眼睛盯著那位演員。「懷菲先生，我很高興你得到那張出色的畫，因為你全部得到的就是那個，而史密斯卻不能再沈默下去了，他要把話講出來。」

一陣苦惱的表情在演員臉上略過，憤怒隨之而來，他轉身對著海濱逐客，「你這個卑鄙的小……」

史密斯伸手以示分辯。「我知道，我知道，原來我是一個多麼不可靠的人。老兄，這個情形我也跟你一樣難過，但是這兩個人厲害得很，抓住了我的把柄，很嚴重的把柄。我若不捨棄你的話，就必須坐牢，我在自由的空氣底下睡那麼久了，蹲苦窯總之無法吸引我。我非常抱歉，但是我得把你撇在一邊了。噢，對了，你有菸嗎？」

懷菲瞪了他半晌，之後聳了聳肩，將一個銀質的菸盒打開，拿到他面前。史密斯自行取用了一根。

「謝了，懷菲先生，這真是件令人厭惡的事，噢，不用了，我有火柴——我們越快捱過去越好。」他把香菸點著，深深吸了一口。「那就回到我們最喜愛的主題吧，昨晚在那個海邊，我走到那座棚屋的窗戶旁邊，他們兩個都在裡面——這個人和席拉·費恩。話多半是女的在說的，我看了她一眼，人很好看，比電影上面還要好看，我真想畫她，她穿了件乳白色晚宴服。」

「夠了，夠了，」組長大叫道：「你給我講主要的！」

「我是在努力嘛。我只不過是要指出她有多漂亮，像她那麼漂亮的女人，至少也該允許她開個一槍。」

陳查禮倏的站了起來。「你這話什麼意思？」

「我是說，不管怎樣她都熬過來了。她把所有的事都告訴了懷菲先生——三年之前，她如何在好萊塢殺了一個人……」

懷菲痛苦的哀歎一聲，靠坐在椅背上，雙手蒙住了臉。

「她殺了誰?」組長問道。

「噢,對,那個人啊,」史密斯遲疑了一下,「叫做丹尼,她好像是這樣稱呼對方的。對了,我想起來了,那人叫丹尼·馬佑。」

一陣肅靜繼之而來,接著懷菲一躍而起。「讓我來講吧,」他叫道:「假如由他講的話,聽起來會很可怕。你們先聽我解釋一下席拉這個人,她人很衝動、情緒化,這我會讓你們了解。」

「你們誰講我都不管,」組長說:「但是要講就快講。」

懷菲轉向陳查禮。「警官你也知道,她打電話到戲院找我,聲音聽起來很苦惱、很可憐,說要立刻見我。我說戲一演完我就過去,但是她說不行,那樣也許就太遲了,假如我愛過她的話,就得馬上過去。她說有話要告訴我,需要我的建議,她的聲音聽起來是那麼絕望,所以,我就去了。

「我在草坪上見到她,她似乎被焦慮和恐懼整個擊垮了。我們進了棚屋,她立刻說起她的故事。據她說,在我們離婚過後幾年,她認識了丹尼·馬佑,瘋狂的愛上了他——這個我可以想見,我知道席拉動起感情的樣子,狂野的,不顧一切的。馬佑似乎很喜歡她，而馬佑本身有個太太在倫敦，是音樂劇的舞者，他答應要跟太太離婚來娶席拉。有一陣子席拉是很快樂，而結果有一天晚上馬佑要求席拉去他的住處。

「那是三年之前，六月的一個晚上，席拉依他說的時間去到他那裡。他告訴席拉說他完了，他太太出了意外，再也無法工作了，馬佑認為自己對這個女人負有義務，他至少要寫封信要太太到好萊塢來，夫妻住在一起。可憐的席拉當時有點陷入瘋狂，整個人失去控制了。馬佑的書桌抽屜裡有一把槍，席拉把槍拿出來指著他，威脅說要殺他，然後自殺。我曾見過這種情況之下的她，我知道她是沒有責任的。他們兩個為了那把槍爭奪起來，最後槍離開了她的手，她爬起來一看，馬佑已經倒在她的腳邊，死了。

「我猜她那時清醒了，不管怎樣，她用她的手帕把槍上面的指紋擦掉，悄悄離開了那幢房子，直到回到家中都沒被人發現。她很安全，命案的調查一次都沒有指向她。安全是安全，但是再也不快樂了，從那天起，她就一直生活在痛苦之中。

「幾個禮拜之前，她在大溪地遇到了亞蘭·堅尼斯，她想嫁給堅尼斯，然而過去這段回憶還在苦惱著她。她陷入一種習慣，事無大小都要去諮詢塔尼維諾這傢伙，塔尼維諾聰明過人，讓她非常佩服。她打電報要塔尼維諾到這裡來，然後昨天早上她去到塔尼維諾的住處。

「她去的時候，根本並未打算告訴塔尼維諾有關丹尼．馬佑的任何事，她只是希望問一下未來的運勢，看看跟堅尼斯結婚是否能夠幸福。但是，她似乎被塔尼維諾某種神祕的力量蠱惑了，也許是受到了催眠，無論如何，她只知道自己把所有可怕的事情都向那個算命的招了。」

「停！」陳查禮喝道，他很少那麼唐突。「噢，對不起！請等一下，你是說她把她殺了丹尼．馬佑的事告訴了塔尼維諾？」

「就是啊。我……」

「但是塔尼維諾講的不一樣。」

「那他在說謊。席拉向塔尼維諾承認自己殺了丹尼，你不了解嗎，那就是席拉為何那麼害怕，為何要找我去的原因。她說，我是她唯一可以傾吐的人，她在承認那件事時，很不喜歡塔尼維諾露出的眼光。她怕死了那個人。她很肯定塔尼維諾會利用這件事，對她造成永無止境的傷害。她緊緊抓住我，哀求我救她。但是我又能怎麼辦？應該從哪裡下手呢？」

懷菲坐了下來，好像這個故事耗盡了他的氣力。「我試著要她放心，答應盡一切力量幫她。不過我告訴她我必須立刻回戲院了。她哀求我留下來陪她，但你們也知道，那齣戲必須演下去，在我的表演生涯中，我從未放過觀眾鴿子，因此我拒絕了，離開她回到了城裡。」

懷菲再度用雙手蒙著臉。「要是我留下來陪她就好了，然而我沒有。接下來我就聽到，可憐的席拉她……她被人殺了。我本來想立刻把這整件事情告訴警方，但是……事到關頭，我就是不能。席拉，那麼好的一個人，她一向那麼正派，那麼美好，那樣慷慨，那麼善意，我彷彿看到她過去的那個污點，一時衝動做下那件瘋狂的事，就這樣被電報傳到了世界各個角落。她人都已經死了，兇手就算抓到，也不可能讓她再活回來。不行，我對自己說，讓席拉的名字毫髮無損，那就是我現在要做的事了。

「就在那時，這個可恨的海邊混混進了來，正要把他聽到的事講出來，我真是著急死了。我一直愛著席拉，昨晚看到她時更是無以復加。所以我就戲劇性的承認說人是我殺的，以阻止更進一步的調查。我不知道自己是否能堅持到最後，今天早上我起床時，總覺得那樣的義舉好像做得太過火了。幸運的是，我用不著拼命堅持，陳先生當場便駁倒了我那個舉動。然而我的目的還是達成了，我給了這位史密斯一個暗示，因此他今天來找我時，我已經準備好，也甘願付所有的錢，讓他保持沈默。全世界的人都那麼仰慕席拉，一想到她的名字會受到玷污，我就無法忍受。」

陳查禮站起來，伸手拍拍他的肩膀。「你帶來不少的麻煩，但我會原諒你，因為你是個俠義之士。若是我就同一個問題疲勞轟炸的話，請你包涵，但這件事情非常重要。費恩小姐把告訴你的話也同樣告訴了塔尼維諾，這你確定嗎？」

「當然，」懷菲回答道：「如果你們發現塔尼維諾和丹尼．馬佑之間有什麼關係，那一定是那個算命的殺了席拉。」

陳查禮和組長互望了一下，組長轉向史密斯。「你可以走了，」他說：「別再讓我看到你。」

海濱逐客立刻站起來。「你不會的，除非這由不得我，」他說：「當然啦，如果你硬把我抓來這裡。」他走到懷菲面前。「老兄，我真的非常抱歉。我希望你知道一點，就某方面來說，我起碼遵守了承諾：這一整天我都沒喝酒，而是坐在房間裡，錢放在口袋，畫了很多難看的花，喉嚨渴得跟撒哈拉沙漠一樣。那是個極為艱難的任務，但是我熬過來了。誰曉得呢，也許我還有點機會吧。這個……」他從口袋裡拿出一捲鈔票，「你拿去吧。」

「啊，這是幹嘛？」懷菲問道。

「三十二美元，五十美元用剩下的。很抱歉沒有更多了，不過我買了好幾塊畫布和幾枝筆，你知道，一個傢伙總不能光坐在房間什麼也不幹吧。」

懷菲站起來把錢推開。「喔，別計較了。那張畫畫得很好，我真的這麼認為。錢你留下，去買幾件像樣的衣服吧。」

史密斯淺灰色的眼睛充滿了謝意。「老天啊，你真的個俠義之士！認識你真是天大的福氣！我感到心裡頭有某種東西在萌芽了，那是一種重大的決心嗎？人家告訴我說輪船上很缺服務生，明天早上我就去添副新行頭，買票回美國西岸去。舊金山，從那裡去克里夫蘭只有一小段路，沒錯！天吶，我就那麼做。」

「祝你好運。」懷菲回答道。

「謝謝你，能否麻煩一下，再一根菸？你真是個好人。」他走到門邊，停住，又轉回來。「組長，不知怎的，我不想離開你。你能幫我一個忙嗎？」

組長笑了起來。「也許可以！」他說。

「你把我關到明天早上好嗎，」海濱逐客接下去說：「別讓我帶著那麼多錢跑到街上，說不定會被搶，或者、或者……我的意思是說，把我留在一個安全的地方，明天再擺脫我的時機看起來比現在好得多。」

「樂意之至，」組長說：「跟我來吧。」

史密斯向陳查禮揮個手。「長官，明早記得提醒我，我還欠你一毛錢哩。」說完他跟組長出去了。

陳查禮轉向懷菲。「現在你要回戲院了，非常感謝你所陳述的一切。」

「陳先生，席拉這件事如果能夠避免向社會公開……」

陳查禮搖搖頭。「很抱歉，恐怕辦不到，這件事和整個命案關係非比尋常。」

「我想也是，」懷菲歎息道。「好吧，至少你對我十分包容，我十分感激。」

陳查禮向他點了個頭，讓他走了。

剩下自己一個人，陳大偵探若有所思的望著虛空，組長進辦公室時，他還這樣呆呆的站著，未幾他們互望了一眼。

「唔，」組長說：「原來塔尼維諾在說謊，而你整個調查卻以他的話為準。老陳，這樣很不像你，被人騙成那樣。」

陳查禮點點頭。「假如有時間的話，我會羞愧的垂下頭。但是呢，我現在選擇忘掉過去，從此刻開始，我的調查將有了新的方向。」

「從此刻開始？」組長問道：「這案子已經結束了，你不知道嗎？」

「你這樣認為？」

「我當然這樣認為。當今天早上席拉・費恩對塔尼維諾說，她殺了丹尼・馬佑，而馬佑是塔尼維諾的弟弟，而到了晚上，席拉・費恩遭到謀殺，還有什麼比這個更簡單？我要馬上逮捕那個算命的。」

陳查禮舉起手來。「不行，不行，我勸你不要。你忘記那個不在場證明了，堅強得跟石壁一樣，根本搖撼不了。」

「那我們得搖撼它，顯然它是假的，一定是的。如果不是那對老夫妻說謊好救他，就是他騙了他們，正如他騙了你一樣。」

「我看不是！」陳查禮堅持的說。

「你是怎麼了，老陳？這你看不出來嗎？再沒有一件案子比這個更清楚了，不在場證明是個小問題——」

「別忘了還有其他疑點，」陳查禮提醒他道：「塔尼維諾為什麼說要通知我到海邊那裡抓一個殺人犯？他這個話我一直記在心裡，沒能忘記。老實告訴你吧，這個問題還沒解決。」

「我不懂你的意思，老陳。」

「懷菲講的故事只澄清了一件事。我現在知道塔尼維諾為什麼不要我打開席拉・費恩寫的那封信了，他怕我當場得知他跟女明星卜卦算命的花招都是假的，這樣那一整套玩意兒要毀於一旦。幸運的是，信拆開來看時，內容正好為他講的謊話增加了支撐的力量。『請你把今天早上我告訴你的話忘掉，我當時一定是瘋了，真的瘋了。』然後他才曉得，在黑暗中賞我一拳根本就沒有必要，他一定很想踢自己幾下。」陳查禮頓了一下。「沒錯，塔尼維諾講謊話，從一開始就把我搞混了，但我還是不相信人是他殺的。」

「好吧，你打算怎麼做？」組長問道：「你就坐在這裡玩手指頭，還要我幫你？」

「我才不會在這裡玩手指，」陳查禮精神奕奕的回答說：「我打算付諸行動。」

「目標在哪裡?我們又沒有線索。」

陳查禮從口袋拿出那支鑽石別針。「我們有這個。」他拿給組長看。「請你注意看一下好嗎?」

組長細細看了一遍。「這枚別針從中間折斷了,對吧?另外一半似乎不見了。」

陳查禮點點頭。「的確是不見了。我們把別針的另一半找回來,案子就破了。」

組長露出不解的表情。「你這話什麼意思?」

「別針是怎麼斷的呢?手錶砸壞的時候,兇手想製造更多掙扎的證據,使手錶砸壞顯得更有可能,所以他把死者肩膀上的蘭花扯下來,用腳踐踏。當花被扯下來時,別針也一起脫落了,它掉在地上的時候,尾端無疑朝著上方,也許已經深深插進了兇手的鞋跟裡,因此而折斷了。當這件事發生時,兇手並沒有注意到吧?有此可能。假如這樣,威基基那幢房子的地板很光滑,上面一定有很明顯的刮痕,我要立刻去找找看。」

組長沈思了一下。「好吧,這樣看來,那裡也許真的有名堂,我就讓你去找吧。你去吧,我在這裡等你的消息。」

走到辦公室門口的時候,陳查禮碰到了鹿島,這個小日本顯得非常疲憊而且氣餒。

「城裡面搜過三、五十回了，史密斯先生根本不存在。」

「你可真是個了不起的偵探啊，」組長罵道：「史密斯現在關進籠子裡了，是老陳找到他的。」

日本人眼睛裡又是失望又是沮喪。陳查禮在門口停住，又走了回來，他拍了一下小日本的肩膀。

「打起精神來吧，」他善意的說：「好好的幹，去參加佛教青年協會每一次的集會，這樣你就會贏得勝利。沒有人是十全十美的，我幹警察二十七年了，一點都沒有我自己想的那麼聰明。」

他緩緩走出了辦公室。

【第二十三章】決定命運的椅子

陳查禮開車到席拉·費恩的海邊寓所，希望這是最後一次造訪了。月亮尚未升起，宛如天鵝絨般的紫色天幕，星星彷彿想戳破它，卻是無能為力。夜色寧靜，黑得令人無法喘息，將枝頭開滿繁花的樹木隱藏了起來。二十四小時之前，月亮同樣尚未升起，夜色宛如黑幕般穿透不過的時刻，黑色駱駝來到席拉·費恩的屋外大門口跪了下來。

雖然陳查禮現在知道了這個女人過往的祕密，知道她犯下令人歎息的錯誤，卻還是對她寄以最深的同情。她從未站在法庭上，回答自己犯下的一切，但是她也等於是經歷了這樣的折磨。她這三年來該是多麼的痛苦啊！「也許到最後會找到一點小小的幸福，那是我多麼渴望得到的東西啊！」她在最後那封自艾自憐的信中如此寫道。然而她找到了什麼?黑色的駱駝已經等著將她帶進不知名的世界。

不論兇手行兇的動機為何，陳查禮想道，這個行動的本身都是殘忍無情的。他下定決心要查出兇手，使其付出代價。但是怎樣查呢?在他口袋裡的小別針能幫得上那麼大的忙嗎?但願能夠，因為這是他現在唯一的憑藉了。

那位電影紅星最後居住的豪宅前面，榕樹的陰影有如墨水般的黑。陳查禮停好了車，關掉車燈，動作敏捷的下了車。

耶索一如既往的穩靜自持，開門讓他進去。「噢，長官，我正想你會來呢。今晚在外一定很怡人吧，我會說夜色十分柔和而芬芳。」

陳查禮面露微笑。「我可忙得無暇關心夜色的芬芳喔，耶索。」

「是啊，長官，我想你的時間完全被佔用了。我能否大膽的問一下，這件命案有新的進展了嗎?」

陳查禮搖搖頭。「截至目前沒有。」

「我很遺憾，長官。年輕人在海灘那邊，我是指茱莉小姐和布萊蕭先生，你想偵查哪一個人?」

「我想偵查這幢房子的地板。」陳查禮對他說。

耶索的白眉毛揚了揚。「是的，長官。先父曾告訴我說牆壁都長有耳朵。」

「地板也一樣能透露先前發生的事，」陳查禮回答道：「若是你不反對的話，我想從客廳查起。」

他推開厚重的簾幔，黛安娜·狄克森正坐在鋼琴前面輕輕的彈著。女星站了起來。

「噢，你好，」她說：「你要找人嗎？」

「我是找某人找得很急，」陳查禮點點頭。「到最後我希望能查到那個人。」

「那麼說，你尚未發現是誰殺死了席拉？」

「還沒有。但這不是個愉快的話題，妳怎麼不去海灘那裡，那裡才是年輕人該待的地方。」

黛安娜聳聳肩。「去海灘幹什麼，又沒有男士陪伴？而且顯然又不能碰上幾個。」

「我打賭妳身邊難得出現這種情況。」陳查禮笑道。

「噢，改變一下對大家都有好處。」她看到陳查禮很不耐煩的東張西望著。「你現在要做什麼？我好興奮……」

「我不得不得罪一下了，」陳查禮答道：「簡直不能相信，我竟然要請妳失陪一下，麻煩妳到涼台去好嗎？」

她的嘴噘了起來。「我還以為你會要求我幫忙。」

「有妳這麼迷人的美女在身邊，我怕我會無心工作。」他打開落地窗。「拜託一下，幫個大忙。」

女星很不甘願的出去了，陳查禮在她背後把落地窗關上。在目擊者面前他可不想做出不夠莊重的舉動。他把客廳所有電燈打開，稍嫌困難的跪在地上，從口袋拿出一個放大鏡，地板十分光滑，他開始仔細察看所有沒鋪地毯的地方。

他趴在地上好長一段時間，跪得膝蓋痛了起來，但是他並不在意，因為這項努力收穫很大。地板到處可發現許多細小的刮痕，這些刮痕無疑都是出現不久的。他深深的吸進一口氣，黑眼睛發出滿意的亮光。

忽然他想到一個好點子，接著迅速的爬進了飯廳。好極了，餐桌還是昨晚上那一張。耶索進來把桌上的銀質餐具收進餐櫥裡，他轉過身來。

「我發現你尚未縮小餐桌的尺寸。」陳查禮說。

「我沒辦法，長官，」管家回答說：「留下來的家具已經過時了，這幢房子前一任的主人看起來非常好客。」

「我也有同感。」陳查禮點點頭。他很高興看到這個大餐桌就擺在光滑的地板上，飯廳除了入口處之外，並沒有鋪上地毯。「耶索先生，麻煩你幫個忙好嗎，請你在這張餐桌邊擺十張椅子，放的位置要跟昨天晚上一模一樣。

耶索不解其意的照辦了，排完之後，陳查禮對著桌椅沈思了好一陣子。

「大約二十二個小時之前，你端咖啡招待那些客人，這些椅子擺的位置就跟當時一樣嗎？」

「完全一樣。」管家向他保證說。

陳查禮一言不發的拉開一張椅子，彎腰到桌底下去。椅子一張一張的推開，默示著他行動的足跡，耶索一旁觀看著，一向沈著的臉上露出了罕見的驚異表情。陳查禮在手電筒的輔助下，在餐桌底下爬了一圈。最後他站了出來，好像要呼吸新鮮空氣的樣子。

「昨晚餐桌上有放置座位卡嗎？」他問。

「沒有，長官。昨晚不是很正式的場合，費恩小姐告訴我說她要親自請客人入座。」

「那他們進來喝咖啡的時候，坐的位置並未事先安排？」

「噢，沒有，長官。他們想坐哪裡就坐哪裡。」

「你記不記他們各坐在哪個位置？」

耶索搖搖頭。「對不起，長官。昨晚的情況有點混亂，我恐怕有點失常了。」

陳查禮伸手放在理當是女主人座位右邊的那張椅子。「那你能不能告訴我，誰坐在這張椅子上？」

「恐怕不行，陳先生。好像是位男士吧，但是我……我真的不確定。」

陳查禮研究了半晌。「非常謝謝你。電話在玄關的小房間裡吧？」

「是的，長官。我帶你去……」

「不用麻煩，」陳查禮對他說：「我找得到。」

他走到玄關，窩在樓梯下面的斗室裡，打了很多通電話。最後他打給組長。

「我是老陳，」他說：「可否請你帶一位得力的助手，立刻到席拉·費恩的住宅來好嗎？」

「找到什麼了嗎，老陳？」組長問。

陳查禮盡可能將斗室的門拉上，額頭上開始滲出小小的汗珠。

「那根別針將會引導我們到達成功，」他低聲回答道：「客廳地板上有很多新出現的刮痕。更重要的是，昨晚調查的時候，客人到飯廳餐桌上吃了一些東西，那裡沒鋪地毯，在一張椅子下面，而且只有那張，很明顯有更多刮痕。」

「那張椅子誰坐的？」組長問。

「殺死席拉・費恩的兇手，」陳查禮回答道：「那個人是誰我還不曉得，但是我剛剛打電話要昨晚六個客人統統到齊，另外三位已經在這裡了。等他們都到了之後，我們把他們帶到飯廳，請他們按照昨晚的座位坐好。死去的女主人坐在主位，面對著前門，我們要注意是誰坐在女主人的右邊，那個人就是我們拼命在找的兇手。」

組長笑了起來。「老陳，你這不是在演戲吧？好吧，我是無所謂，只要能夠破案就好，我立刻去你那裡。」

陳查禮出到玄關，擦著額頭的汗，他瞥見耶索的燕尾服後襬匆匆消失在飯廳入口處的簾幕後面。他慵懶的向前走，最後到了涼台，狄克森小姐在那裡。

「妳可以回客廳了。」他點了個頭。

女星起身向他走去。「你找到要找的東西了嗎？」她關心的問。

陳查禮聳了聳肩。「在這個世界上，有誰找到他想找的東西了？成功又是什麼玩意兒？跟泡泡一樣，手碰到就破了。」說完他信步向海邊逛過去。

走過草坪時，右邊即是棚屋，今晚漆黑一片，空無一人。靠海的地方有張單人座的海灘椅，坐著茱莉和布萊蕭兩個人。小伙子見到陳查禮立刻站起來。

「瞧瞧，這不是老陳嗎，檀香山最出名的偵探，」他嚷道。「你好嗎，有什麼最新消息？」

「新聞啊，威基基海灘的魔咒似乎仍解不開，」陳查禮回答道：「很抱歉打擾了如此動人的場面。」

布萊蕭伸出手來。「握個手吧，老陳，你是第一個聽到的，我就要結婚了。還有，是的，茱莉也一樣。」

「真是好消息！」陳查禮由衷的說：「祝福你們得到我所預祝一半的幸福——全部是不可能。」

「噢，謝謝你，陳先生。」茱莉說。

「你真是個老好人，」布萊蕭說：「我會懷念你的，還有我也會懷念這片海灘。」

「怎麼這麼說？你要離開檀香山了嗎？」

「噢，是啊。」

「這裡是個可愛的地方，你為它寫下一百多萬個字，而你卻要離開……」

「我必須走，老陳。你曾經停下來想過，這裡慵懶的美景，對一個年輕人的個性造成什麼影響嗎？破壞性的，事實就是如此。一個人站在這片綿延的海灘上，沈迷在溫暖的南方氣息，以及其他事物裡，他發生了什麼改變呢？他會喪失鬥志，停滯不前，走向毀滅。我不要再看到椰子樹了，老陳，我要看到大紅杉。你知道大紅杉嗎？它們會讓你的腰桿挺直，從今以後它們是我的樹了。一個來自西部頂天立地的男子漢──那就是我以後要扮演的角色。」

陳查禮露出笑容。「你輸了，沒能讓茱莉小姐用你的角度來欣賞夏威夷？」

「看來是如此。我把這個觀點推銷給了五萬名觀光客，但是對我心愛的女孩卻行不通。人生就是這麼回事吧，我想。」

「當你離開這裡的時候，許多美景將會被你拋到後頭，」陳查禮說：「但既然茱莉小姐同行的話，你身邊同樣擁有不少美景。」

「布萊蕭先生，」茱莉大笑道：「那樣的話應該出自你的嘴巴才對。」

「那快了！」他答道。

陳查禮凝視著升起的月亮，沿著潮水低嘯的海岸，燈光蜿蜒著。哀怨的夏威夷音樂從莫亞納飯店花園那裡飄送過來。「年少無憂，在這個海邊談戀愛，還有什麼事比這更幸福呢？」他說：「好好品嘗吧，它只會發生一次，然後時間之輪就會繼續轉動下去。時候到了，黃金和珍珠也買不回逝去的青春。」

「哇，老陳，你居然多愁善感起來！」布萊蕭嚷道。

陳查禮點點頭。「我想起我就是在這個海邊談戀愛的，那是很久以前。多久了呢，你想？我現在已經是十一個子女的父親了，你自己推算看看吧。」

「你一定很以他們為榮！」茱莉說。

「就看他們是否要讓我引以為榮，」陳查禮答道：「至少我這一部分的工作已經做到了，把過去和未來連接起來。當我繼續前進，留下了十一個子女，有誰能說我不曾在這裡存在過？我想沒有。」

「你的看法很對。」布萊蕭說。

「我可以私下跟你講句話嗎？」陳查禮說。他領著布萊蕭走向住宅的光亮處。

「什麼事？」布萊蕭問。

「從現在起隨時都會有很多事情發生，在一個小時之內我會告訴你是誰殺了席拉．費恩。」

「天啊！」小伙子吃驚道。

「首先，我有個任務要交代給你。茱莉小姐是席拉．費恩的密友，你回去委婉的告訴她，是費恩小姐開槍殺死了丹尼．馬佑。這件事情已經毫無疑問了。」

「你肯定嗎？」

「我很肯定。你照我講的，把這件事很委婉的告訴她，這樣她受的打擊才不會像在眾人面前那麼嚴重。這對她是難以承受的晴天霹靂，但她會很快忘記的，因為她有你的關愛。」

「她有我全部的關愛，老陳。唔，你真的好體貼，你每件事都考慮到了。」

「只要是做得到的，我就會盡力而為。當事情要揭曉時，你們兩個都要立刻到客廳來喔。」

「我們會的，謝謝你了，老陳。」

陳查禮進去客廳時，黛安娜．狄克森正好迎進了馬提諾、范豪恩和堅尼斯，他們三位是從飯店一起來的。看到這三個人都穿上了晚宴服，當偵探的感到十分滿意。希望他們穿的鞋子都跟昨晚上一模一樣，這會太過分嗎？

「哈囉，陳督察，」馬提諾說：「我們盡快趕來，有什麼事呢？」

「想做個小實驗，」陳查禮答道：「也許我們這個案子今晚會『啵』掉了。」

堅尼斯點起了小雪茄菸。「『啵』——你是指結束嗎？天啊，希望是這樣。明天那艘船上，他們已經為我留一個艙位了。陳督察，我就靠你了。」

「我們都靠你了，」導演補充道：「我也很想走咧。杭特立，你跟我或許也能搭上那艘船。」

范豪恩聳了聳肩。「喔，離開不了我也不在乎。昨天晚上我一直在注視那個海濱浪人，如果他是我們這裡頭最快樂的一個人，我一點都不會驚訝。」

「回歸原始是嗎？」馬提諾笑道：「我想這是受到你在大溪地飾演的那個角色所影

響吧。」

「那是好萊塢式的想法，」范豪恩回答道：「我看過那麼多矯揉造作的地方，那個城市應該贏得大獎。」

「那就以真正加州人的口吻來說吧，」吉姆．布萊蕭偕茱莉進來，說道：「你不介意我引用你說過的話吧？比起狂熱浮誇的電影城來，知名電影紅星較為喜歡檀香山的凡事簡單。」

「那是你，」范豪恩板著臉回答道：「我可要否認說過那樣的話。」

「唉！」布萊蕭笑道：「每一位大明星的最佳台詞都要在採訪時才肯講。」

威奇．巴洛和他太太進來了，他老兄穿了一套亞麻西裝，白皮鞋，陳查禮不禁煩惱起來。假如飯廳那個關鍵的座椅讓巴洛坐上去了，那這個案子可能比現在還不保險。

「這裡是怎麼回事？」巴洛問道。「我今天晚上要早點上床。」

「可憐的老巴洛禁不起興奮的事，」麗泰說：「至於我可愛死了。嗨，黛安娜，妳一整天都在幹什麼？」

簾幔打開來，塔尼維諾不聲不響的走進來。他站立片刻，四處看了一下，黑色的眼睛顯得頗為憂慮。

「喔，」他說：「我們全都到了，是不是？」

堅尼斯緩緩站起來，走過去，把菸盒遞給他。「你要不要抽一根我的雪茄？」

「不，謝了，」塔尼維諾態度溫和的說：「我不抽菸。」

「很抱歉，」那位英國人說：「我還以為你抽咧。」

陳查禮趕緊擋在他們之間。「你們都坐下來好嗎？沒錯，我們都到了，只除了我那個組長還沒。我們等他一下。」

他們坐下來。麗泰、黛安娜和茱莉三個人在一起低聲交談。幾名男士都很安靜，眼望著虛空。

不久玄關傳來一陣腳步聲，組長進來了，他背後跟著史賓塞，高大而又幹練的樣子。陳查禮立刻站起來。

「噢，組長，現在我們可以進行了。我已經解釋過了，我們要進行一個實驗，你知道這裡有些人——」

威奇．巴洛和組長握起手來。「我很高興你來了。」他說道，還瞥了陳查禮一眼。

「塔尼維諾先生你也認識了，」陳查禮毫不在意的接著說，為組長一一介紹其他人。「現在我們可以進飯廳了。」末了他說。

「什麼？又要開晚宴嗎？」麗泰・巴洛吃驚道。

「是個有點奇特的晚宴，我們並不上菜。」陳查禮對她說：「請這邊走。」

他們魚貫而入，鄭重其事的，又有點侷促不安。刑事組組長親自帶著一個穿制服的魁梧警員前來，讓他們感覺到這個場合的嚴重性。相當的不尋常，他們問著自己，這究竟是怎麼回事啊？這是個圈套嗎？

耶索在飯廳裡負責招呼，態度認真又有點望之儼然。他等候著，餐桌上面空無一物，他卻當作是擺滿了發光的銀質餐具和雪白的亞麻餐巾般的，好整以暇的安排他們入座。

「我們現在有個小小的要求，」陳查禮緩緩的說：「我要提醒大家一下，這是個重要時刻，大家動作之前先好好想想，千萬不要弄錯。請各位坐在自己昨天晚上坐的座位上好嗎？」

他的話惹來一陣嘀咕。「可是我太激動了，根本就不記得。」黛安娜嚷道，其他人也附和她。眾人在疑惑和猶豫之中磨蹭了老半天，最後吉姆．布萊蕭落坐在飯桌的最末座，剛好和女主人的空位相對。」

「我坐這裡，」他說：「我還記得很清楚，茱莉，妳坐在我右邊；范豪恩，你坐在我左邊。」

茱莉和男星在耶索的輔助下坐在他們的座位上。

「巴洛先生，你坐在我旁邊。」茱莉說。陳查禮看到那位檀香山土財主落坐時，不禁放心的吁了一口氣。

「對，我是坐這，」巴洛說：「謝謝妳提醒我，親愛的。黛安娜，妳坐我右邊。」

「對啊！」狄克森小姐同意道，耶索拉開椅子讓她坐下。「馬提諾，你坐我右邊。」

「沒錯。」導演點點頭，入了座。

餐桌的一邊坐滿了，但卻不是陳查禮感興趣的一邊。

「麗泰，妳坐我對面。」黛安娜說。

巴洛太太就了座。

這一邊就除了首座兩邊的椅子空著，只等堅尼斯和塔尼維諾坐下去。

「巴洛太太，我相信是我享有這個榮幸坐在妳身邊。」塔尼維諾說道，隨即坐到她右邊去。

「好像是吧，」麗泰同意道。「那堅尼斯先生是坐另一邊。」她指著左邊的椅子——這張不祥椅子前面的地板有著細小的刮痕，有可能是被一根折斷的別針插入鞋根刮出來的。

「看來我們都找到位子了。」堅尼斯不明究理的笑著坐下去。

出現了片刻的沈默。「大家昨晚真的坐在現在的座位上嗎？」陳查禮緩緩問道。

「不是！」范豪恩突然說。

「有什麼不對嗎？」陳查禮問。

「是的。塔尼維諾先生現在坐我左邊，但昨晚這個椅子是堅尼斯先生坐的。」

「啊，對呀！」麗泰·巴洛嚷道，她轉向塔尼維諾說：「你跟堅尼斯先生換了座位了。」

「好像是吧！」命相家和氣的說。他站起來。堅尼斯也站了起來，坐到麗泰的右邊。塔尼維諾幾經遲疑之後，坐上了那張決定命運的椅子。「看來我們都入座完畢了，」

他平靜的說：「耶索，你可以上湯了。」

陳查禮和組長互望了一眼，從飯桌旁邊離開，走到玄關處。

「是塔尼維諾，」組長輕輕的說：「我就知道是他，咱們去檢查他的鞋子。」

然而陳查禮卻頑固的搖搖頭。「這裡頭非常不對勁！」

「不對勁？鬼扯蛋！老陳，你究竟在想些什麼？」

「徹底的不對勁，」陳查禮接著說：「一個擁有不在場證明的人，你是沒辦法將他定罪的。就算他鞋子上面都是折斷的別針也一樣。」

「那照你講，整件事都落空囉？」

「到目前為止是的。但是我並不灰心，你讓我再想一下，這當中一定有個合理的解釋。啊，是這樣……跟我來吧。」

他們回到飯廳，那些圍著空桌子的人翹首盼望的看著他們。

「請暫時坐在目前的座位上別動，」陳查禮說：「我還會回來。」

他穿過一道內外推的轉門進到廚房，眾人都聽到他跟廚子老吳在低聲交談。他們默默的等著，即使最沒有嫌疑的人也顯得焦躁不安。不久陳查禮回來了，板著一張臉，腳步卻是罕見的輕快。

「耶索！」他說。

管家震了一下，走上前去。

「是的，長官？」

「耶索，昨晚這些客人離開後，還有人來這裡坐嗎？」

管家露出了內疚的表情。「非常抱歉，長官。昨天很沒有次序，我平常不會承認這是我有效管理的家，但是昨天真的有點混亂，而且我們又沒吃晚餐，所以我們便坐下來喝了杯咖啡，我們真的很需要休息一下。」

「有誰來這裡坐過？」

「是我和安娜，長官。」

「客人走後，你和安娜來這裡坐過?你坐哪裡?」

「那裡，就是馬提諾先生現在坐的那個位子，長官。」

「那安娜呢，她坐哪？」

「她坐這裡，長官。」耶索將手放在塔尼維諾的椅背上。

陳查禮沈默了半晌，實際在注視著耶索，表面卻裝作不大在意的樣子。他深深吐出一口氣來，好像一個人在歷經跋涉之後，終於看到了終點站一樣。

「安娜現在人呢？」他問。

「可能在她的房間吧，長官。她房間在二樓。」

陳查禮向史賓塞點了個頭。「立刻去把那個女人帶來！」他吩咐道，警員立刻離開。陳查禮轉向圍繞飯桌的那些人。「我們的小型實驗結束了，請大家回到客廳。」

他們站起來，前後相序的默默走過穿堂。陳查禮和組長等在樓梯口，組長不發一語，陳查禮也沒有要講話的意思。未幾史賓塞出現在樓梯上方，身邊是女傭安娜。兩人慢慢的走下來。陳查禮眼睛像是反著亮光的黑鈕扣，面對著那個女人。女人滿不在乎的回望著他，眼光冷冷的。

「跟我來吧！」他說。他帶著安娜到了客廳，佇立觀察了一下女傭的腳。安娜穿著黑色的鞋子，鞋底很高，跟身上樸素的制服相配合。陳查禮注意到，她右腳腳踝的地方似乎有點腫。

「安娜，我必須對妳提出奇特的要求，」他說：「麻煩妳脫下右腳的鞋子好嗎？」

她坐下來，慢慢的解開鞋帶。塔尼維諾走上前來站在陳查禮身邊，陳查禮並沒有理會他。

他從安娜手中取過沈重的鞋子，翻過來，用小刀切入橡皮製的腳後跟。鞋跟裡面露出了半英吋長的金質別針，陳查禮以一種勝利的手勢拔了出來，拿在手中。

「大家都看到了！」他提醒在場的眾人，然後轉向安娜。「至於妳，恐怕妳太大意了。當妳踐踏那些蘭花時，卻沒注意到這個證物會揭發妳的罪行。嗯哼，如果不是這一短暫的疏忽，這個案子也不會有所突破。」他注視著那個鞋子。「我發現這兩邊有夾鐵支撐住，」他接著說：「這似乎是用來保護脆弱的足踝，妳受過傷嗎，太太？」

「我……我的腳踝骨折過，很久以前。」她回答的聲音幾乎聽不見。

「骨折？」陳查禮脫口而出。「什麼時候？怎麼發生的？妳是在舞台上跳舞才摔傷的嗎？喔呵，是了，太太，我想妳以前是丹尼．馬佑的太太。」

女人朝他跨上前一小步，眼神冷酷而不屑，但是那一向黝黑的臉上卻白得宛如威基基海灘上的沙子。

【第二十四章】帷幕揭開來了

陳查禮轉向塔尼維諾，在這位命相家深邃的眼眸裡，他看到了百般無奈下的佩服表情。他露出了笑容。

「我曾經墮入五里霧中，」他說：「這個女人會出現在這裡絕不是偶然的。當你設計要掀開覆蓋在好萊塢影城的帷幕時，你需要的是……什麼呢？是間諜，無所不在的間諜，你需要他們提供電影圈的蜚短流長。你的弟媳婦因為意外受傷，再也無法從事原來的職業，孑然一身而且一文不名。你於是把她找來，還有什麼比這個更合情合理呢？你幫她找到工作，那種可能有助於你的工作。」

塔尼維諾聳了聳肩。「你的想像力太豐富了，陳先生。」

「噢，那才不，你太恭維我了，」陳查禮嚷道：「這剛好證明我沒有足夠的想像力。我只想聲明一點，當最後一道曙光湧現的時候，我並沒有將百葉窗拉下，而現在光明大量湧入了。安娜的任務並不是報告一些瑣碎的情報而已，她還協助你找出殺死丹尼．馬佑的兇手。你就是因此安排她跟席拉．費恩在一起的嗎？你是否已經對費恩小姐起疑了呢？我想是吧。昨天早上在你下榻的飯店房間裡，費恩小姐向你坦承她曾經犯下的過錯，你立刻通知安娜勝利已經來到。你當時意氣昂揚，也很老實想將費恩小姐交給警方，否則你昨晚在格蘭飯店就不會對我講出那樣的話。而之後……發生了什麼事？」

「你來告訴我吧，陳督察。」

「我的用意也是如此。你得知了費恩小姐被人殺死的消息，不必講，你也知道是誰幹的。這時你的立場很艱難，但是內心仍然和平常一樣快速的活動。你虛報了你幫席拉．費恩占卜時談話的內容，立刻把我推入錯誤的線索裡面。你假稱費恩小姐會寫一封信給你，讓你又吃驚又狼狽的是，你發現她真的寫了一封信。那會立刻摧毀你的計畫，所以你賞了我一拳，奪走那封信。但事後證明，根本就不必那麼做。你採取激烈的手段，摧毀了馬佑的照片，隱藏你跟他的關係；又把不相干的人扯進來，想迷惑我。噢，你可真是個大忙人啊，塔尼維諾先生。我或許可以原諒你，但是我卻覺得難以原諒自己。我為什麼那麼蠢呢？」

「誰會說你蠢呢，老陳？」組長問。

「我會，而且我會用力的說，」陳查禮答道：「我跟這位命相家的鬥法其實早該結束了。事情再清楚不過了。我明知他雇用間諜，確沒有對這件事特別注意，在大溪地和回來的船上，一定有人在窺伺費恩小姐。我得知安娜在購買債券，這表示除了女傭單純的薪資之外，還有別的收入來源。我聽到了塔尼維諾的不在場證明，確定人不是他下手殺的。那樣的話，他的所作所為又如何解釋？優秀的偵探會自然而然的推論說，他在保護另一個人。而那是誰呢？我在報紙上面看到，丹尼·馬佑有個太太。我發現馬佑是塔尼維諾的弟弟，又得知馬佑死於席拉·費恩之手。不久之後，我又進一步得知馬佑的太太出了意外，無法再從事原來的職業。我有沒有把這二加二呢？沒有，我盲目的鑽來鑽去，像一條昏眊的魚百般掙扎，最後才幸運的滑進了成功的港灣。」他突然轉過身，安娜蒼白無語的站在他面前。「我是游進那個港灣裡了，不是嗎，太太？妳，妳殺死了席拉·費恩！」

「沒錯！」女人說。

「妳別傻了，安娜，」塔尼維諾嚷道：「快辯解呀！」

她無望的比了個手勢。「那又有什麼用呢？我才不在乎。我已經沒什麼好活下去的了，我會怎樣都無所謂了。沒錯，是我殺了她。我為什麼不該殺她呢？她——」

「等一下，」組長插嘴道：「妳知道，妳現在講的任何話都可能對妳不利。」

「你講那個嫌太遲了，組長，」塔尼維諾說：「她應該有一位律師。」

「我不要律師，」安娜忿然的接下去說：「我不要任何幫助。我殺了她，她奪走了我的丈夫，她有了他的愛還不滿足，最後還要了他的命。我已經報了仇，甘願付出代價。我會認罪，馬上作個了斷。」

「很好！」組長同意道。他看到夏威夷政府省下了一筆長期的訴訟費用。

「妳瘋了，安娜！」命相家大叫道。

安娜聳了聳肩。「不必管我。我想我破壞了你的計畫，把所有的事都搞砸了。把我忘掉，你一個人走吧。」

她的語氣尖酸而冰冷，塔尼維諾遭此峻拒後轉過身去。陳查禮端給她一張椅子。

「坐下來吧，太太。我想問幾個簡單的問題。塔尼維諾把妳帶到好萊塢去，這是真的嗎？」

「是的，」她坐上那張椅子。「你肯的話，我從最前面開始講好了。當丹尼在演電影的時候，我仍繼續在倫敦音樂廳跳舞。我舞跳得很好，後來出了那個意外，腳踝骨折，再也無法跳舞了。我寫信告訴丹尼這件事，問他我是否可以去找他。我沒有收到任何回音，然後就得知他被人殺了。

「阿瑟——就是塔尼維諾，丹尼的哥哥，那個時候也在倫敦演戲，他對我很好，借我錢用，之後他告訴我說他打算到美國，可以的話，想把殺死丹尼的兇手找出來。一陣子之後，他寫信來說在好萊塢開業幫人家算命，取了名字叫塔尼維諾。他說他需要幫忙，假如我願意去工作的話，他會用得到我。我那時在幫以前的跳舞經理管衣服，那工作很辛苦，回想起來，我渴望完全脫離它。」

「所以妳到了好萊塢。」組長誘導道。

「是的，然後和塔尼維諾私下見了面。他說要幫我在費恩小姐身邊安插個工作，他勸她辭掉原來那個女傭，當天就送我去她那裡工作。他發現費恩小姐跟丹尼曾經是非常親密的朋友，因此認為我在她家裡或許能查出一點什麼。他建議我盡可能改變外貌，譬如我的髮型，擔心丹尼說不定給她看過我的照片。我接受了他的指示，但是這麼小心是不必要的，我的照片丹尼一定沒有，不是掉了就是丟了。費恩小姐雇了我，我表現得很稱職。你知道，我自己本來是有女傭的。我在她身邊一年半了，一直在幫著塔尼維諾，但是卻未能發現任何事情。我是指丹尼的任何事情。

「昨天下午塔尼維諾跟我在海邊見面，他告訴我說，席拉・費恩已經承認殺害了丹尼，地點是他下榻的地方，時間是昨天早上。他希望席拉・費恩再招認一次，並要有一名證人聽到，他計畫昨天晚上在棚屋進行這件事。他會單獨跟席拉・費恩在那裡談，我則躲在某個角落，然後他再去找警察來。

「我返回這幢屋裡，那個女人毀了丹尼和我的一生，我對她恨得簡直無法控制自己。我必須要好好想一下，因此一個人待在房間裡。塔尼維諾的計畫開始讓我覺得非常愚蠢，警察能幹什麼？像席拉・費恩那麼漂亮而又出名的女人，我知道你們美國的陪審團會怎樣對待她，他們絕不可能定她的罪，想都別想。一定會有別的方法比報警要好，我一路想下去。這樣做我覺得很抱歉。」

她的眼睛突然一亮。「不，我才不覺得抱歉，我高興得很，因為我都計畫好了。昨天晚上，當晚宴進行的時候，就是動手的時機。在場的人很多，有不少人可能做了這件事。我想到在手錶上面安排不在場證明，記得丹尼就演過這樣的戲。七點四十分到八點十分的時候我都待在廚房，耶索和那個廚子也在那裡。八點十五分時我知道席拉．費恩在棚屋裡，她在等，等適當的時機來一個完美的出場亮相，她一向如此。她喜歡那樣。

「我到她房間拿了把刀子，那是在大溪地買的。我需要包住刀子的東西——手帕，而且是要大的。藍色那個房間的門打開著，裡面有男人的衣服，我走進去，在西裝口袋裡面拿了條手帕——那是布萊蕭先生的西裝吧，我猜。」

「可不是嗎，」吉姆．布萊蕭嚴肅的說：「謝謝妳為我打廣告。」

「我去到棚屋，」安娜接著說：「席拉．費恩並沒有起疑，我走近她……」女人將臉埋在雙手之中。「這個部分你們不會硬要我描述吧。之後我將手錶包在手帕裡敲破掉，再戴回她手上。但是現場並沒有其他掙扎打鬥的痕跡，所以我把她戴的蘭花扯下來，用腳踩得亂七八糟。出去之後，我把刀子深深的埋進土裡，海灘那裡有人在喊叫，我聽了很害怕，於是趕快跑回屋裡，從後面的樓梯上去我的房間。」

「那條手帕呢？」陳查禮問：「塔尼維諾先生來到之後，你拿給了他？」

「稍等一下，」那位命相家說：「安娜，我們兩個最後一次交談是什麼時候？」

「昨天下午，在海邊。」

「在那之後，我們有聯繫嗎？」

她搖搖頭。「沒有。」

「我先前有聽妳說妳殺了席拉・費恩？」

「不，你沒有。」

命相家眼睛看著組長。「小事一樁，」他說：「我希望能夠交待清楚。」

「但是那條手帕……」組長轉向安娜。

「我遺留在草坪上。我……呃，希望它被人發現。」她看了布萊蕭一眼。「你知道，那並不是我的。」

「妳真是體貼。」小伙子向她鞠了個躬。

「沒錯，」塔尼維諾說：「我就是在草坪上撿起來的。」

「然後塞進了我的口袋，」馬提諾說：「對喔，我還沒有向你道謝哩。」

「別節外生枝，」陳查禮提醒道：「榮獲塔尼維諾先生垂青的可不只是你。」

組長走到女人身邊。「妳到樓上收拾一下，」他神情嚴肅的說：「然後跟我們到城裡，在警局裡面再把事情講一遍。」他示意史賓塞陪著一起上樓。

女人站起來，神情黯然卻又倨傲，在警員的戒護下離開了客廳。

「好了吧，」巴洛說：「看樣子大家都可以走了。」

組長對此表示默認。巴洛夫婦率先離開，後面跟隨著馬提諾、范豪恩及堅尼斯。堅尼斯停下來跟陳查禮握手。

「謝謝你，」他聲音低沈的說：「我要趕去搭船了，在這艘船以及未來所要搭的船上，我都會努力讓自己保持鎮定的。」

黛安娜默默上樓去了。陳查禮轉向茱莉。

「你們回海灘去吧，」他語氣溫和的說：「抬頭看看天上的星星，吸它幾口清新的空氣，憧憬一下未來的幸福吧。」

女孩睜大了眼睛望著陳查禮。「可憐的席拉！」她幽幽的說。

「席拉・費恩的煩惱到此全了結了，」陳查禮提醒她說：「妳幫那個可憐的女人一個大忙，把這些統統忘掉吧。妳旁邊的吉姆會幫妳。」

布萊蕭點點頭。「我會的。」他伸手攬著伊人。「走吧，茱莉，對椰子樹多看一眼，然後我們就到西岸去，那裡生長的樹才是真正的大樹。」他們走向落地窗，布萊蕭回頭對陳查禮笑了一下。「再見了，老陳。我必須走了，以後在使用形容詞時，誇張性會向下修正，以便符合加州的尺度。」

他們出去後，陳查禮回到飯廳，看到組長正思緒重重的注視著塔尼維諾。「我說，老陳，」他說：「咱們這位朋友，你看如何處置才好？」

陳查禮沒有回答，卻若有所思的撫摸著自己的臉頰。塔尼維諾看到他這個姿勢，不禁笑了起來。

「我很抱歉，給你添了那麼多麻煩，陳督察，」他說：「只是我當時非常為難，這你也能理解。我應該立刻把安娜交給你嗎?或許吧。但是就像我昨晚對你說的，對這整個事件，我直接想到自己應該負責。人當然不是我殺的，責任卻跑不掉。我應該別告訴她的，但是卻需要一名證人。假如我能將這個發現藏在心裡就好了。」

「凡是回頭看的人，都會發現自己犯的錯堆得跟山一樣高。」陳查禮同意道。

「我做夢都沒想到安娜會失去了理智。這些女人啊，陳督察。」

「她們是很原始的生物，這些女人。」

「好像是如此。安娜一向是個古怪、沈默、不太友善的人，但是我們之間卻有一個特別的關聯——我們都愛丹尼。昨晚當她證明她愛丹尼愛得不顧一切時，唉，我就是不能丟下她不管，只能來跟你作對。我用盡了一切手段，結果失敗了。」他伸出手來。

陳查禮同他握手。「只有性情乖戾的人在獲勝之時還會感到不爽！」他說。

穿制服的警員從簾幔探頭出來。

「我們馬上就來，史賓塞，」組長說。「塔尼維諾先生，你最好跟我們一道來吧。我會跟檢察官提到你的事，不過你不必擔心，從美國本土偶爾來個一次的觀光客，我們可不想在他身上花下大筆的訴訟費用。」

塔尼維諾行了個禮。「你鼓舞了我。」

「老陳，你有車嗎？」組長問。

「我有。」陳查禮說。

組長和塔尼維諾走往玄關，隨後便聽見前門關上的聲音。

陳查禮佇立了片刻，環顧著燈火通明的飯廳，他的工作終於結束了。然後呢，他沈悶的歎了一口氣，穿越了簾幔，拿起放在玄關桌上的帽子，忽然老吳從飯廳冒出來。

陳查禮看著同胞那張枯黃的臉、那雙發亮的眼睛。

「告訴我好嗎，老吳，」他說：「我走上了這條路到底好嗎？為什麼一個中國人要插手去管洋人的仇恨和胡作非為？」

「你是怎麼啦？」老吳問道。

「我累了，現在需要平靜下來，」陳查禮歎氣說：「好累的一個案子啊，老吳。但是，」他一頷首，笑容在胖臉上漾開，「你也知道這句話吧，老吳。玉不琢，不成器。」

大門在他背後輕輕的關上。

國家圖書館出版品預行編目資料

黑色駱駝／厄爾·畢格斯（Earl Derr Biggers）著；劉育林譯．－－初版．－－臺北市：臉譜出版：城邦文化發行，2002〔民91〕

面：　公分．－－（陳查禮探案全集；5）

譯自：The black

ISBN 957-469-719-3（平裝）

874.57　　　　90017240

【卜洛克偵探小說系列】

R2001	八百萬種死法	易萃雯◎譯	250 元
R2002	黑暗之刺	陳佳伶◎譯	200 元
R2003	酒店關門之後	王凌霄◎譯	250 元
R2004	刀鋒之先	林大容◎譯	250 元
R2005	到墳場的車票	金　波◎譯	250 元
R2006	屠宰場之舞	曾筱光◎譯	250 元
R2007	行過死蔭之地	唐嘉慧◎譯	250 元
R2008	父之罪	易萃雯◎譯	160 元
R2009	惡魔預知死亡	顧效齡◎譯	250 元
R2010	在死亡之中	黃文君◎譯	180 元
R2011	一長串的死者	林大容◎譯	280 元
R2012	謀殺與創造之時	呂中莉◎譯	200 元
R2013	向邪惡追索	林大容◎譯	340 元
R2014	每個人都死了	唐　諾◎譯	340 元

【卜洛克雅賊系列】

FR2101	別無選擇的賊	王凌霄◎譯	230 元
FR2102	衣櫃裡的賊	易萃雯◎譯	200 元
FR2103	喜歡引用吉卜齡的賊	徐秋華◎譯	230 元
FR2104	閱讀史賓諾莎的賊	林敏雅◎譯	240 元
FR2105	畫風像蒙德里安的賊	嚴　韻◎譯	280 元
FR2106	把泰德威廉斯交易掉的賊	易萃雯◎譯	350 元
FR2107	自以為是亨佛萊鮑嘉的賊	林大容◎譯	380 元
FR2108	圖書館裡的賊	王志弘◎譯	360 元

【錢德勒偵探小說系列】

R3001	大眠	許瓊瑩◎譯	250 元
R3002	再見，吾愛	焦雄屏◎譯	250 元
R3003	高窗	林淑琴◎譯	220 元
R3004	湖中女子	林俊穎◎譯	220 元

✤本書所列書價如與該書版權頁不符，則以該書版權頁定價為準。

R3005	小妹	易萃雯◎譯	250 元
R3006	漫長的告別	宋碧雲◎譯	300 元
R3007	重播	葉美瑤◎譯	200 元
R3008	找麻煩是我的職業	林淑琴◎譯	220 元
R3009	謀殺巧藝	林淑琴◎譯	300 元
R3010	雨中殺手	唐嘉慧◎譯	350 元

【范達因推理作品系列】

R4001	綁架殺人事件	王知一◎譯	200 元
R4002	葛蕾西．艾倫殺人事件	鄭初英◎譯	180 元
R4003	主教殺人事件	沈雲驄◎譯	240 元
R4004	聖甲蟲殺人事件	黃淑齡◎譯	220 元
R4005	班森殺人事件	陳曾緯◎譯	220 元
R4006	格林家殺人事件	鄭初英◎譯	320 元
R4007	金絲雀殺人事件	劉玉嘉◎譯	280 元
FR4008	賭場殺人事件	黃美娟◎譯	200 元
FR4009	龍殺人事件	金競男◎譯	250 元
FR4010	狗園殺人事件	陳秋蓮◎譯	230 元
FR4011	花園殺人事件	唐嘉羚◎譯	200 元
FR4012	冬季殺人事件	毛幼葦◎譯	120 元

【漢密特偵探小說系列】

R5001	馬爾他之鷹	林淑琴◎譯	180 元
R5002	紅色收穫	林淑琴◎譯	180 元
R5003	丹恩咒詛	易萃雯◎譯	180 元
R5004	黯夜女子	唐　諾◎譯	100 元
R5005	大陸偵探社	易萃雯◎譯	250 元
R5006	瘦子	林大容◎譯	220 元
FR5007	玻璃鑰匙	林大容◎譯	220 元
FR5008	螺絲起子	易萃雯◎譯	390 元

【約瑟芬．鐵伊推理作品系列】

✤本書所列書價如與該書版權頁不符，則以該書版權頁定價為準。

R6001	時間的女兒	徐秋華◎譯	200元
R6002	法蘭柴思事件	藍目路◎譯	300元
R6003	萍小姐的主意	金　波◎譯	250元
R6004	博來・法拉先生	洛　麗◎譯	300元
FR6005	一張俊美的臉	珍妮佛、艾瑞卡◎譯	240元
FR6006	排隊的人	黃妏俐◎譯	250元
FR6007	一先令蠟燭	黃正綱◎譯	250元
FR6008	歌唱的砂	吳麗娟◎譯	240元

【約翰・哈威警察探案系列】

R7001	冷光	林淑琴◎譯	280元
R7002	荒蕪年歲	易萃雯◎譯	280元

【米涅・渥特絲偵探小說系列】

R8001	冰屋	嚴　韻◎譯	300元
R8002	女雕刻家	胡丹彝◎譯	320元
R8003	暗室	藍目路◎譯	360元
FR8004	回聲	易萃雯◎譯	320元
FR8005	毒舌鉤	沈雲驄◎譯	320元
FR8006	暗潮	胡丹彝◎譯	340元

【狄公案系列】

FR1101D	黃金奇案	陳海東◎譯	特99元
FR1102	漆畫屏風奇案	黃祿善◎譯	200元
FR1103	湖濱奇案	康美君、季振東◎譯	260元
FR1104	朝雲觀奇案	印永清◎譯	280元
FR1105	銅鐘奇案	申霞、姜逸青◎譯	330元
FR1106	紅閣子奇案	梁甦、王仁芳◎譯	240元
FR1107	黑狐奇案	陸鈺明◎譯	240元
FR1108	玉珠串奇案	金昭敏◎譯	200元

【康薇爾作品】

✤本書所列書價如與該書版權頁不符，則以該書版權頁定價為準。

FR9001	屍體會說話	顧效齡◎譯	320 元
FR9002	殘骸線索	藍目路◎譯	360 元
FR9003	失落的指紋	嚴　韻◎譯	360 元
FR9004	肉體證據	溫怡惠◎譯	320 元
FR9005	人體農場	蔡梵谷◎譯	360 元
FR9006	波持墓園	王瑞徽◎譯	360 元

【火星三部曲】

FR3101D	紅火星	王凌霄◎譯	特 399 元
FR3102	綠火星	藍目路◎譯	650 元
FR3103	藍火星	蔡梵谷◎譯	650 元

【陳查禮探案全集】

FR5101	不上鎖的房子	劉育林◎譯	360 元
FR5102	中國鸚鵡	劉育林◎譯	350 元
FR5103	帷幕背後	劉育林◎譯	350 元
FR5104	保管鑰匙的人	劉育林◎譯	300 元
FR5105	黑色駱駝	劉育林◎譯	310 元
FR5106	陳查禮接手	劉育林◎譯	330 元

✣本書所列書價如與該書版權頁不符，則以該書版權頁定價為準。